Systems Architect

情報処理技術者高度試験速習シリーズ

最速の[合格]論述対策

三好隆宏　**第2版**

技術的　心理的　時間的
論述試験のハードルをできるだけ下げる！

"不合格にならない"
だから **"合格する"** 対策書

午後 II

TAC出版
TAC PUBLISHING Group

はじめに

こんにちは。これはシステムアーキテクトの午後Ⅱ試験の対策本です。手にとってくださりありがとうございます。もし，あなたが，午後Ⅱの論述に関して次のように感じているようなら，この本を読んで準備することが有効かもしれません。

・午後Ⅱの答案をどのように作成してよいのか，いまひとつ（あるいは全然）イメージがわかない。

・だいたいどのような答案を作成すればよいかは知っているけれど，具体的に何をどう準備しておけばよいのかわからない。

・すでに対策本を何冊か見てみたが，参考にできる答案例がなかなか見つからない。

午後Ⅱ試験は論述式ですから，解答例が公表されません。そのため，「これくらいの内容を書けば合格する」という目安を定めにくいと感じているのではないでしょうか。本書では，その目安と，それを手っ取り早く実現するためのアプローチを提供します。

どの試験でも，結果は合格と不合格の２種類しかありません。ですから不合格にならなければ合格です。すでに触れたように，この午後Ⅱ試験は「合格する答案がどのようなものなのか」がはっきりしません。しかし，それに比べて「不合格になる答案」は明確です。

筆者は長年，受験機関で午後Ⅱの答案の添削を担当してきました。合格レベルの答案よりも不合格レベルの答案は圧倒的に多いですから，妙な言い方ですが，「不合格になる答案のプロ」です。不合格になる答案が持ついくつかの特徴ははっきりしています。そして，**不合格になる特徴にあてはまらない答案を作成する＝不合格にならない答案を作成する**アプローチを本書にまとめました。本書のアプローチは，幅広い経験も多くの対策も必要としません。ぜひ，合格してください。

2024年10月
三好隆宏

合格答案の要件は，はっきりしない。
でも，
不合格になる答案の特徴は明確。

不合格にならない答案を作成すれば，合格！

本書のアプローチ

　本書では，システムアーキテクトの業務であるシステム開発のように，答案を作成する方法を提示します。

★ウォーターフォールモデルで答案作成

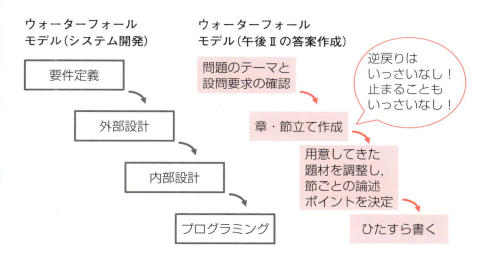

不合格にならないための6つの要件

要件①："私"の立場がシステムアーキテクトであること

要件②：形式が整っていること

要件③：題材が適切であること　問題文の設定を踏まえた題材であること

要件④：設問の指示に従った構成・内容であること

要件⑤：具体性があること

要件⑥：指示に応えた内容であることを"わかりやすく"示していること

不合格にならないための6つの作成ルール

ルール①　開始の合図があったら，"SAの私"になる

ルール②　問題のタイトルを読んだら，題材の調整（選択）を行う

ルール③　設問を読んだら，設問内容をもとに章・節のタイトルを決める

ルール④　問題文を読んだら，節レベルでアピールするポイントを決める

ルール⑤　各節の内容を論述する際には，その節のタイトルを主語にした文章を含める

ルール⑥　実施したことを書く際には，具体性ルーチンを使用する

午後Ⅱ問題のパーツとポイント

● 本書で使用する各パーツの呼び方とポイント

> **タイトル**：ここに論述のテーマが示されています。

問1　業務からのニーズに応えるためのデータを活用した情報の提供について

> **問題文：**
> ここにテーマを具体的に説明した内容や
> 期待される文脈が，
> 具体例とともに示されています。

　近年，顧客の行動記録に基づき受注工程に至る業務処理の方法と効果の関係を可視化するなどの業務からのニーズに応えるため，データを活用して情報を提供する動きが加速している。

　このような場合，システムアーキテクトは，業務からのニーズを分析した上で，どのような情報を提供するかを検討する必要がある。

　例えば，スーパーマーケットのチェーンで，"宣伝効果を最大にしたい"というニーズから，宣伝媒体をより効果的なものに絞り込むための情報の提供が必要であると分析した場合に，次のような検討をする。

・対象にしている顧客層に宣伝が届いている度合いを測定するための情報はどのようなものか
・宣伝の効果が表れるタイミングと期間を測定するための情報はどのようなものか

　検討の結果から，"男女別／年齢層別の，来店者数のうち購入者数の占める割合が，特定の宣伝を実施した後の時間の経過に伴い，どのように推移したか"を情報として提供することにする。

　また，このような情報の提供では，来店者数のデータがない，年齢層の入力がされていないケースがあるなどの課題があることも多い。そのため，発行したレシート数に一定の数値を乗じた値を来店者数とみなす，年齢層が未入力のデータは年齢層不明として分類するなど，課題に対応するための工夫をすることが重要である。

> **設問（文）：**
> ここに要求（指示）が示されています。
> この指示に従って，
> 構成・内容を決めます。

　あなたの経験と考えに基づいて，設問ア〜ウに従って論述せよ。

設問ア　あなたが携わった，業務からのニーズに応えるためのデータを活用した情報の提供は，どのようなものであったか。ニーズのあった業務の概要及びニーズの内容，関連する情報システムの概要とともに，800字以内で述べよ。

設問イ　設問アで述べた情報の提供では，ニーズをどのように分析し，どのような情報の提供を検討したか。800字以上1,600字以内で具体的に述べよ。

設問ウ　設問イで述べた検討で，情報の提供においてどのような課題があったか。また，その課題に対応するためにどのような工夫をしたか。600字以上1,200字以内で具体的に述べよ。

vii

目　次

はじめに　iii

本書のアプローチ　v

午後Ⅱ問題のパーツとポイント　vii

第1章　SA午後Ⅱ試験はこんな試験です ························1

　1．システムアーキテクト午後Ⅱ試験の実像を知ろう　2

　2．講評から出題者が期待していることを知ろう　5

　3．不合格にならない答案の要件　13

第2章　本書でオススメするSA午後Ⅱ対策アプローチ ···········23

　1．オススメアプローチ　24

　2．答案作成はウォーターフォールモデルで　27

第3章　試験当日までに準備しておくこと
　　　　　－題材・モジュールについて－ ·······················31

　1．"題材"を用意しよう　32

　2．題材以外に準備しておきたいモジュール　39

論述答案の書き方①
第4章　要件定義／問題のテーマと設問要求の確認 ·············45

　1．答案作成の工程と6つのルール　46

　2．答案作成工程①　要件定義／問題のテーマと設問要求の確認　48

論述答案の書き方②
第5章　外部設計／章・節立ての作成・・・・・・・・・・・・・・・・・・・・・・・・・55
　1．答案作成工程②　外部設計／章・節立ての作成　56
　　　ちょっとひと言　章立てした答案と章立てしていない答案では，
　　　　　　　　　　　どれくらい違うのか？　61

論述答案の書き方③
第6章　内部設計／節ごとの論述ポイントの決定・・・・・・・・・・・・・・・・69
　1．答案作成工程③　内部設計／節ごとの論述ポイントの決定　70

論述答案の書き方④
第7章　プログラミング／ひたすら書く・・・・・・・・・・・・・・・・・・・・・・・83
　1．答案作成工程④　プログラミング／ひたすら書く　84
　2．リハーサルをしてみましょう　104

付録　合格できる答案例・・・・・・・・・・・・・・・・・・・・・・・・・・・・・・・・・・・・105
　合格できる答案例　令和6年度　問1　106
　合格できる答案例　令和6年度　問2　111
　合格できる答案例　令和5年度　問1　116
　合格できる答案例　令和5年度　問2　122

第1章

SA午後Ⅱ試験は こんな試験です

1. システムアーキテクト午後Ⅱ試験の実像を知ろう

■ 過去の出題テーマを見てみる

まず,実際の試験の出題テーマを確認してみます。

	問1	問2
令和6年度	人手によってしか実現できないと考えていた業務への先進技術の適用について	バッチ処理の設計について
令和5年度	デジタルトランスフォーメーションを推進するための情報システムの改善について	利用者と直接の接点がない情報システムのユーザーインターフェースの検討について
令和4年度	概念実証(PoC)を活用した情報システム開発について	業務のデジタル化について

※令和4・5年度の「組み込みシステム」をテーマにした出題は割愛した

令和6年度から「組み込みシステム」が対象から外れ「情報システム」のみの2問構成です。2問のうちどちらか一方を選択して論述することになります。テーマを確認してみると,どのような題材でも論述できそうな印象をもつかもしれませんが,以下のような題材の要件があります。

第1章　SA午後Ⅱ試験はこんな試験です

＜出題テーマによる題材の要件＞

	問1	問2
令和6年度	先進技術（AI, RPAツールなど）を適用した題材であること	バッチ処理を含む題材であること
令和5年度	DXの題材であること	利用者と直接接点がないシステムのUI検討を含む題材であること
令和4年度	概念実証（PoC）を活用した題材であること	業務のデジタル化を含む題材であること

　要件を満たした題材で論述しないと，問題文の設定，設問要求に沿った内容になりません。

　しかし，テーマは2つしかありません。もしどちらも自分が用意した題材に合うテーマでなかったらどうするのか？　諦める？　テーマに合っていなくても用意した題材で書き切る？　どちらも不合格になります。では，論述可能な題材を増やす準備をする？　それでは手間がかかり過ぎる上にキリがありません。そこで本書では，汎用性が高い題材を用意し，それを試験場でカスタマイズするやり方をお勧めします。

■ 採点基準は？

　採点基準については，情報処理推進機構（IPA）から公表されています。実際に確認してみます。

3

午後Ⅱ（論述式）試験の評価方法について

・設問で要求した項目の充足度，論述の具体性，内容の妥当性，論理の一貫性，見識に基づく主張，洞察力・行動力，独創性・先見性，表現力・文章作成能力などを評価の視点として，論述の内容を評価する。また，問題冊子で示す"解答に当たっての指示"に従わない場合は，論述の内容にかかわらず，その程度によって評価を下げることがある。

※（独）情報処理推進機構「情報処理技術者試験 試験要項Ver.5.3」

　ざっと読むと，「見識」とか「洞察力」「先見性」といった表現もあり，かなりハードルが高そうな印象を受けるかもしれません。でも，結局ここに示されていることを要約すると次のようになります。

＜採点基準を整理すると＞

- 設問で要求したことを書いているかどうかで評価する。
- 読んでわかる論述になっているかで評価する。

　設問は，複数の項目について，一貫した具体的な内容を要求していますから，**その要求に従って書けば，それはイコール，項目を充足し，具体性，妥当性，一貫性のある内容になります**。また，問題文の例示も含めた文脈にもとづいて書けば，「システムアーキテクトとして行ったこと」になりますから，行動力はもちろん，洞察力などを含んだ内容になります。あとは，**その内容を形式的にわかりやすく（読みやすく）編集すれば，表現力，文章作成能力面の評価もクリアできます**。

　問題冊子で示す"解答に当たっての指示"とは，「B又はHBの黒鉛筆又はシャープペンシルを使用してください」とか，そういったものです。気にすることはありません。

2. 講評から出題者が期待していることを知ろう

　午後Ⅱは論述形式ということもあり，いわゆる正解（具体的な解答例）は公表されません。そのかわりに，「出題趣旨」が公表されますが，答案作成の指針になるような情報を含んでいませんから，対策の役には立ちません。残るは，「講評」です。こちらも内容に具体性がないため，得るところは少ないですが，ある程度出題者（採点者）側の評価基準と実際提出される答案の様子を類推することができます。

　それでは早速確認してみます。

令和6年度　採点講評（冒頭部分）

> 　全問に共通して，自らの経験に基づき設問に素直に答えている論述が多かった。一方で，問題文に記載してあるプロセスや観点などを抜き出して一般論と組み合わせただけの表面的な論述や，実施した事項を論述するだけにとどまり，実施した理由や検討の経緯が読み取れない論述も少なからず見受けられた。自らが実際にシステムアーキテクトとして検討して取り組んだことを，設問に沿って具体的に論述してほしい。

　どのような印象でしょう？　「ダメな答案は多くなかった」ということのようです。具体的に検討してみます。この講評において「少なからず見受けられた」答案は，次の2つです。

× 　問題文に記載してあるプロセスや観点などを抜き出し，一般論と組み合わせただけの表面的な論述

× 　実施事項だけにとどまり，実施した理由や検討の経緯が読み取れない論述

　この2つに該当した答案は不合格になったとして，それ以外の答案は合格にな

ったのでしょうか？

つまり，問題文に記載してあるプロセスや観点の抜き出し，一般論と組み合わせただけの表面的な論述ではなく，かつ，実施事項に加え実施した理由や検討の経緯が読み取れる答案は合格答案になるのか？　ということです。

午後Ⅱの評価は以下のように4段階です。A評価だけが合格であり，残り3つは不合格です。不合格の中では最も高いB評価の内容を確認してみましょう。「合格水準まであと一歩である」。この内容から考えて，上記要件を満たしてはいるが，別の要件を満たしていない答案がありそうです。さらに，その下のC評価は「内容が不十分である」です。不十分の程度には幅がありますから，この中にも上記要件は満たしている答案が含まれていそうです。

「ダメな答案は多くないが，合格には不十分な答案は相当数ある」ということになります。

評価ランク	内　　容	合否
A	合格水準にある	合格
B	合格水準まであと一歩である	不合格
C	内容が不十分である 問題文の趣旨から逸脱している	
D	内容が著しく不十分である 問題文の趣旨から著しく逸脱している	

（ほんのちょっとしたことで，BからAの答案になりますし，CからAの答案にもなります。）

実際添削をしていると**「ほぼ合格レベルです！」という答案は少なくありません**。たとえば，「一部要求に応え切れていないところがある分だけ合格レベルに届いていません。」とコメントするような答案です。

本書でおすすめするアプローチは，おもにB評価，C評価にならないためのものです。具体的には，次のようなイメージになります。

第1章　SA午後Ⅱ試験はこんな試験です

●評価B→評価Aへ上げるポイントは？

　「合格まであと一歩である」の「一歩」とは，具体的にどのような答案なのでしょう？典型的なものは，次の2つです。

△　設問アで，対象業務の内容が明確かつ十分に記述されていない

△　設問イまたはウで，実施したことの記述に具体性がない

　これらをいかに避けるかについては，本書のメインパートである第4章〜第7章「論述答案の書き方①〜④」で説明します。

●評価C→評価Aへ上げるポイントは？

　「内容が不十分である」の「不十分」とは，具体的にどのような答案なのでしょう？　典型的なものは，次の2つです。

▲　題材が，テーマおよび要求からずれている（ずれが大きいと評価D）

▲　設問ア，イ，ウのいずれかひとつの記述ボリュームが不足している（不足分が大きいと評価D）

　これらをいかに避けるかについては，第3章「試験当日までに準備しておくこと」および第4章〜第7章「論述答案の書き方①〜④」で説明します。

■ 出題者が期待している答案内容とは？

　さて，講評の内容についてもう少し具体的に分析してみましょう。

　この冒頭部分から，出題者（採点者）が期待している答案内容とそうでない答案内容は次のように整理できます。

・出題者（採点者）側が期待している答案内容

○　自らの体験に基づき設問に素直に答えている論述

7

・出題者（採点者）側の期待を外している答案内容
× 問題文に記載してあるプロセスや観点などを抜き出し，一般論と組み合わせただけの表面的な論述
× 実施事項だけにとどまり，実施した理由や検討の経緯が読み取れない論述

講評は毎年試験後に公表されていますが，この冒頭部分の内容は，ほとんど変わりません。

出題者側が期待している答案内容ですが，これは2つの要件から構成されています。

＜出題者が期待している要素＞

> 1）自らの体験にもとづく論述内容であること
> 2）設問に素直に答えている論述内容であること

この2つを満たす答案＝不合格にならない答案をどうやって作成するかについては第4章～第7章「論述答案の書き方①～④」のパートで具体的に説明していきます。
ここでは，まずこの2つの内容が意味することをしっかり認識しておくことにしましょう。

1）自らの体験にもとづく論述内容であること

まずこの「自らの体験にもとづく」が意味することを誤解しないことが重要です。**出題者（実際には採点者）は，あなたがどのような仕事をしてきたのか，どのような仕事をしているのかなどについて知りうる立場にないですし，知りようもありません。さらに言えば，知ろうともしていないでしょう。**

では，どうやって「自らの体験にもとづいているかどうか」を判断しているの

でしょう？　端的に言えば論述内容に「具体性があるかどうか」です。

　筆者は長年演習や模試の論述答案の添削を担当しています。その経験から言いますと，確かに答案としての体裁は整ってはいるものの，要求されたことについて具体性のある説明に欠けるものが多いです。

　ということは，「**自らの体験にもとづく論述内容＝体験した案件のように説明されていること＝具体性のある記述になっていること**」と考えてよいでしょう。

> 自らの体験にもとづく論述内容
> 　　＝体験した案件のように説明されていること
> 　　＝具体性のある記述になっていること

　この点の理解はきわめて重要です。論述の対象が「自らの体験」に限定されるものだと考えてしまうと，体験がないあるいは少ない人が，合格できないことになってしまいます。また，経験が豊富な人であっても，出題テーマ・設定および要求にピッタリ合った体験を持っている可能性は大変低いです。**体験にもとづく事実を優先して「要求されたこと」ではなく「書けること」を書くと，もうひとつの要件である「設問に素直に答える」を満たさない答案になってしまい，不合格になってしまいます。**

　後述しますが，**答案は「フィクション」と割り切る姿勢が重要**です。フィクションの度合いが一部なのかほとんど全部なのかは問題ではありません。午後Ⅱの答案作成は「具体性のあるフィクションを作ること」だと認識しましょう。

> 午後Ⅱの答案作成は
> 「具体性のあるフィクションを作ること」

2）設問に素直に答えている論述内容であること

　ほとんどの設問イ，ウには「具体的に述べよ」という指示があります。1）で説明したように**「具体性」のある内容にすること**は，体験に基づくもの＝一般論ではないことのアピールであると同時に，設問要求に素直に答えるということにもなるわけです。

　「素直に」とは，どういう意味でしょうか？　設問は試験問題における指示ですから，**「設問の指示に逆らわずに従う」**ということでしょう。当然ですが，設問の指示は「具体的に」だけではありません。具体性はあっても，設問で要求されていることを説明していない答案は不合格になります。

　設問アから設問ウの指示は次のようになっています。

　　　　設問ア・・・800字以内で述べよ。
　　　　設問イ・・・800字以上1600字以内で述べよ。
　　　　設問ウ・・・600字以上1200字以内で述べよ。

すべて「述べよ」という指示です。午後Ⅱの場合，午前や午後Ⅰのように出題者はあらかじめ解答を用意しているわけではありませんが，出題者は内容についてもボリュームについても期待（要求）しているものがあり，それを答案というかたちで具現化しなさいという指示を出しているわけです。ですから，**あなた（解答する側）に求められるのは，「指示にできるだけ正確に従うこと」**です。これはちょうどシステム開発において，「要求に合ったものを作る」ことが求められるのと同じです。

　この点もとても重要なので，具体的な設問内容と講評で確認してみることにします。

第1章　SA午後Ⅱ試験はこんな試験です

令和6年度　問1

設問ア　あなたが先進技術を適用した業務について，業務の内容と，その業務が人手によってしか実現できないと考えられた理由を，800字以内で述べよ。

設問イ　設問アで述べた業務に，どのような先進技術をどのように適用したのか。大幅な効率化や自動化が可能と考えた理由を含めて，800字以上1,600字以内で具体的に述べよ。

設問ウ　設問アで述べた業務に先進技術を適用した際に，どのような課題が生じ，どのような対策を取ったのか。600字以上1,200字以内で具体的に述べよ。

設問要求は，以下のように整理できます。

設問ア

●先進技術を適用した業務について

　・業務の内容

　・人手によってしか実現できないと考えられていた理由

設問イ

●先進技術の適用について

　・適用した先進技術

　・先進技術の適用方法

　・大幅な効率化や自動化が可能と考えた理由

設問ウ

●先進技術適用にあたっての課題と対策

　・適用にあたって生じた課題

　・課題への対策

　この内容をもとに，以下の講評の内容を確認してみてください。「要求されたことを答えていない答案があったよ」と言っているだけであることがわかります。言い方を変えると，**要求に合った内容で，具体性がある答案を作成でき**

11

れば不合格にならないということです。

<講評>

問1
　問1では，先進技術の適用にとって，従来人手によってしか実現できないと考えていた業務を，大幅に効率化したり，自動化を実現したりした経験についての論述を期待した。多くの受験者が設問に沿って論述できていた。一方で，一部の受験者は，単なる作業を"入力業務"や"議事録作成業務"などとし，本来の業務目的を深く理解しないで論述していた。このような論述では，新技術の適用手順や方法，適用方針などが具体的に論述できていないものが多かった。例えば，"銀行における振込依頼のための手書き依頼書の登録業務"など，業務目的を正しく理解して論述してほしい。また，実現した場合の効果である工数削減やコスト削減，信頼性向上などを述べるにとどまり，大幅な効率化や自動化が可能と考えた理由に触れていない論述も散見された。
　システムアーキテクトは，絶えず新技術を探求しつつ，業務の内容や目的を理解して適切に適用できるよう心掛けてほしい。

試験問題は，解くものではなく，"指示"
⬇
指示には正確に従うことが要件
⬇
指示されたことを書く≠書けることを書く

3．不合格にならない答案の要件

　ここまで確認してきた内容も踏まえて「不合格にならない答案の要件」を挙げると，次の６つになります。

不合格にならない答案の要件

要件①："私"の立場がシステムアーキテクトであること
要件②：形式が整っていること
要件③：題材が適切であること　問題文の設定を踏まえた題材であること
要件④：設問の指示に従った構成・内容であること
要件⑤：具体性があること
要件⑥：指示に応えた内容であることを"わかりやすく"示していること。

　それぞれ確認しておきます。

要件①　"私"の立場がシステムアーキテクトであること
　システムアーキテクトの試験ですから，当たり前と言えば当たり前です。しかし，システムアーキテクトの試験を受ける人が，必ずしもシステムアーキテクトだとは限りません。あなたがどのような仕事をしているにしろ，午後Ⅱの論述（答案）の中の"私"は，システムアーキテクトである必要があります。

"システムアーキテクトとは,どのような役割でどのような業務を担当する人なのか?" 念のため,試験を実施する側が想定している内容を確認しておきましょう。

対象者像	高度IT人材として確立した専門分野をもち,ITストラテジストによる提案を受けて,情報システムを利用したシステムの開発に必要となる要件を定義し,それを実現するためのアーキテクチャを設計し,開発を主導する者
業務と役割	情報システム戦略を具体化するための情報システムの構造の設計や,開発に必要となる要件の定義,システム方式の設計及び情報システムを開発する業務に従事し,次の役割を主導的に果たすとともに,下位者を指導する。 ① 情報システム戦略を具体化するために,全体最適の観点から,対象とする情報システムの構造を設計する。 ② 全体システム化計画及び個別システム化構想・計画を具体化するために,対象とする情報システムの開発に必要となる要件を分析,整理し,取りまとめる。 ③ 対象とする情報システムの要件を実現し,情報セキュリティを確保できる,最適なシステム方式を設計する。 ④ 要件及び設計されたシステム方式に基づいて,要求された品質及び情報セキュリティを確保できるソフトウェアの設計・開発,テスト,運用及び保守についての検討を行い,対象とする情報システムを開発する。 なお,ネットワーク,データベース,セキュリティなどの固有技術については,必要に応じて専門家の支援を受ける。 ⑤ 対象とする情報システム及びその効果を評価する。
期待する技術水準	システムアーキテクトの業務と役割を円滑に遂行するため,次の知識・実践能力が要求される。 ① 情報システム戦略を正しく理解し,業務モデル・情報システ

ム全体体系を検討できる。

② 各種業務プロセスについての専門知識とシステムに関する知識を有し，双方を活用して，適切なシステムを提案できる。

③ 企業のビジネス活動を抽象化（モデル化）して，情報技術を適用できる形に再構成できる。

④ 業種ごとのベストプラクティスや主要企業の業務プロセスの状況，同一業種の多くのユーザー企業における業務プロセスの状況，業種ごとの専門知識，業界固有の慣行などに関する知見をもつ。

⑤ 情報システムのシステム方式，開発手法，ソフトウェアパッケージなどの汎用的なシステムに関する知見をもち，適切な選択と適用ができる。

⑥ OS，データベース，ネットワーク，セキュリティなどにかかわる基本的要素技術に関する知見をもち，その技術リスクと影響を勘案し，適切な情報システムを構築し，保守できる。

⑦ 情報システムのシステム運用，業務運用，投資効果及び業務効果について，適切な評価基準を設定し，分析・評価できる。

⑧ 多数の企業への展開を念頭において，ソフトウェアや，システムサービスの汎用化を検討できる。

※IPA「情報処理技術者試験 情報処理安全確保支援士試験 試験要綱 Ver.5.3」より

　内容的にはびっくりするようなものではありませんが，あなたの業務にピッタリ一致するというわけでもないはずです。一部やっていないこともあるでしょうし，逆に他に担当していることもあるでしょう。しかし，午後Ⅱの論述をする際には，この「対象者像」と「業務と役割」を担当している"私"になりきることが大切です。

　この内容を見ても，あまりピンとこない場合は，SAの午後Ⅱの前に行われる午後Ⅰ試験の，実施後に公表される解答例の情報が役に立ちます。参考までに，令和6年度の問1～問3の解答例より出題趣旨部分を紹介しておきます。こちら

の内容もそれほど具体性はありませんが,「SAとして求められる役割や能力」についてイメージを補強する材料にはなります。

<出題趣旨(令和6年度 午後Ⅰ問1)>

> 情報システムの構築において,システムアーキテクトは,既存システムの再利用や,他のシステムの連携,及び社外の組織に関連する制約条件を正しく理解した上で,システムの設計を行う必要がある。
> 本問では,企業合併に伴うシステムの統合を題材として,要件を正しく理解した上で,システム化の方針やシステムの再利用範囲を立案し,業務プロセスの変更,関連する機能やファイル構造,及び連携する他システムを含めて整合性のとれた情報システムの設計を行う能力を問う。

SAとしての業務要件
・既存システムの再利用や,他のシステムの連携,及び社外の組織に関連する制約条件を正しく理解した上で,システムの設計を行うこと

SAとしての能力要件
・要件を正しく理解した上で,システム化の方針やシステムの再利用範囲を立案する能力
・業務プロセスの変更,関連する機能やファイル構造,及び連携する他システムを含めて整合性のとれた情報システムの設計を行う能力

<出題趣旨(令和6年度 午後Ⅰ問2)>

> 情報システムを改善する際,システムアーキテクトは,業務の効率化や利便性を考慮し,改善要望をシステム要件として設計する必要がある。
> 本問では,会員向けサービスに関わるシステム改善を題材として,現行業務を正しく理解・把握し,改善要望から情報システムに求められている機能を設計することについて,具体的な記述を求めている。要件を正しく理解し,求め

られている情報システムを設計する能力を問う。

SAとしての業務要件

・情報システムを改善する際は，業務の効率化や利便性を考慮し，改善要望をシステム要件として設計すること

SAとしての能力要件

・現行業務を正しく理解・把握し，改善要望から情報システムに求められている機能を設計する能力

＜出題趣旨（令和6年度　午後Ⅰ問3）＞

情報システムの導入において，システムアーキテクトは，システム全体の構成や業務要件を踏まえた設計を行うことが求められる。複数の操作端末やサブシステムが連携することも一般的になっているが，このような場合は，連携する情報を正しく理解し設計することが必要となる。

本問では，複数拠点を持つ学習塾のシステムを題材として，要件を正しく理解して機能を設計する能力，既存機能への影響を考慮しながらレビュー指摘事項や追加要望に対応する能力を問う。

SAとしての業務要件

・情報システムの導入において，システム全体の構成や業務要件を踏まえた設計を行うこと
・複数の操作端末やサブシステムが連携する場合は，連携する情報を正しく理解し設計すること

SAとしての能力要件

・要件を正しく理解して機能を設計する能力
・既存機能への影響を考慮しながらレビュー指摘事項や追加要望に対応する能力

要件②　形式が整っていること

　試験の答案というと，どうしても"内容"に焦点が当たりやすいですね。午後Ⅱは論述式ですから"何を書くか"ということが最大の関心事になります。もちろん，それは妥当なことです。でも，**大事なのは"内容"だけではありません。形式も重要です。**ここでの形式とは，**章立てや段落設定，文体，節ごとのボリュームバランスといったこと**です。答案を読む立場，採点する立場から考えればあたりまえのことですが，これらの形式面が答案の"読みやすさ"に影響を与えることは確かです。

　そういう意味では，**"形式が採点者による内容の評価を左右する"**ということもできます。

　つまり，答案は何を書くかではなく，「何をどのようにどれくらい書くか」が大事ということです。

要件③　題材が適切であること

　題材とは，論述の対象となる情報システム開発のことです。システムアーキテクトは業務上のニーズをシステムに反映させる上で重要な役割を持ちますから，題材は対象業務が明確なシステムでないとテーマ・要求に合った論述が難しくなってしまいます。つまり，**不適切な題材を選択してしまった時点で，合格する答案の作成が困難になる**ということです。また，システムアーキテクトを含む情報処理技術者試験の午後Ⅱの論述では，一部の限定的なユーザしか使用しない小規模過ぎるシステムは不向きです。

　さらに，それぞれの問題文（ほとんどの場合，問題のタイトル部分）で対象となる題材に制約が加えられることがあります。例えば「パッケージソフトウエアを活用したシステム開発」「オープンソフトウェアを使った開発」といったものです。この場合は，当然，その制約を満たす題材を選択することになります。

要件④　設問の指示に従った構成・内容であること

　これは次の2つの要件を含んでいます。
・指示されたことをもれなく含めること

第1章　SA午後II試験はこんな試験です

・指示されたこと以外を含めないこと

　前者は，設問に合わせた章立てを行った上で，章立てしたタイトルどおりの内容を記述すれば，実現できます。ただし，これが意外と難しいです。時間的な制約がある中でかなりの量を書きますから，どうしても"書けることを書く"ということになりやすいです。また，題材がテーマに合っていない（＝要件③を満たしていない）場合も，指示を外した内容になってしまいます。

　後者の典型は，たとえば，設問アで自分の担当業務内容や経歴，システム開発の背景や経緯，業務ではなくシステムの機能の詳細を書く，といったことです。指示（要求）されたこと以外の内容が"少し"含まれているのであれば問題ないですが，"かなりの量"になると，採点者の印象が悪くなります（指示を理解していない答案という評価になります）。同時に，かなりの確率で肝心の指示されたことの記述が不十分になります（時間と字数の制限がありますから）ので，二重にマイナスです。

要件⑤　具体性があること

　論述の約束事としては「実際の体験に基づいて書く」ことになっています。そして，「実際の体験があるのであれば，具体的に書けるはずである」という論理です。ですから，**要件はあくまで「内容の具体性」であって，「実際の体験に基づくこと」ではありません。**たとえば，次の2つの記述を確認してください。

例1）「利用部門にヒアリングを実施した」
例2）「利用部門である営業部にヒアリングを実施した。具体的には，まず営業部長に対しては単独で行い，その後，入社7, 8年の中核的な担当者3名にはグループで行なった」

　答案としては，例2）のような具体性のある内容を求めているだけです。そして，この内容は事実である必要も，実際に体験したことである必要もないということです。ですから，その点はまったく気にすることはありません（採点者は答

19

案の内容が事実かどうか、あなたの体験に基づくものかどうかなど、検証できません)。

要件⑥　指示に応えた内容であることを"わかりやすく"示していること

　これは要件②と同様、内容ではなく"表現"に関する要件です。試験は、一種のコミュニケーションと考えることができます。

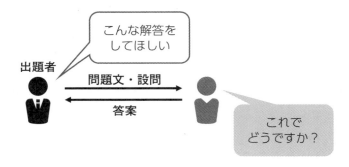

　受験者側としては、答案という媒体（手段）で、自分の意図を伝えるわけです。できるだけ採点者にわかりやすく正確に伝えたいわけです。何しろ採点者は数多くの答案を一定期間に読み、評価するわけですから。

　情報システムにおいてデータをやり取りする際、データに関する情報をヘッダーに含めますが、そのイメージを持ちましょう。たとえば、要件⑤の例2）をもう一度確認してください。これは、具体性があることを説明するための例でした。**「具体的には、・・・」と文頭につけることで、「これから具体性のある内容が始まります」と採点者に伝えることができます**。また「開発のねらい」を要求されていたら、「開発のねらいは、・・・」と要求そのものを主語にした文章で説明することにより、「開発のねらい（設問で要求されたこと）が含まれている」ことを採点者にわかりやすく伝えることができます。

第1章　SA午後Ⅱ試験はこんな試験です

　以上の要件をはずさずに120分で答案を作成するためのルールと事前準備，そして当日の対応をまとめたのが本書です。

■ 答案が完成するのは採点者の頭の中

　午後Ⅱの答案は試験場で作成するわけですが，いつ，どこで完成するのでしょう？　それは採点者があなたの答案を読み取ったときであり，採点者の頭の中です。本書のアプローチは，答案作成をシステム開発にたとえていますが，作成したプログラムが特定のシステムのOS（オペレーティングシステム）のもとで動いてはじめて評価されるのと同じです。**あなたの答案は，採点者に読み込まれ，採点者の頭の中で動いてはじめて価値を持ちます。**ですから，**内容はもちろん，形式面も重要になる**わけです。

フィクションは，事実を書くより要求に合わせやすい

フィクションは，事実を書くより合格しやすい

具体性とフィクションは両立します！

第2章

本書でオススメするSA
午後Ⅱ対策アプローチ

1. オススメアプローチ

■ 答案作成はシステム開発

　システム開発関連の仕事をしているあなたは，普段の業務のなかで論述をする機会はほとんどないと思います。また，一般に組織の中で個人が経験する開発案件には偏りがありますから，ベテランであっても，必ずしも試験で問われるテーマにピッタリあてはまる題材がない……ということになります。その結果，システムアーキテクト試験にチャレンジしたいけれど，午後Ⅱの論述対策に困る，と思い込みがちです。まず，この誤解を解いておきましょう。

　午後Ⅱ試験は「論述式」試験ですが，「論述する力」は重要ではありません。答案（論述）の構成は設問のなかに，シナリオは問題文に示されています。ですから，**対策として，論述する機会を数多く持つ必要はありません**。確かに，試験対策の時間をたっぷりとることを前提にすれば，何種類かの題材を用意し，複数年度の本試験問題の答案を実際に作成してみることが有効です。ただ，自分が経験した開発案件でそのまま対応できる問題はほとんどありませんから，相当な対策量になります。このアプローチはいろいろな問題を実際に処理することによって対応力をつけることを目的としていますから，対策量が不足すると，対応力も不十分になりやすいです。

　一般にシステムアーキテクトを受験しようとする方たちは，業務が忙しいですから，試験対策に割ける時間はあまりないでしょうし，仮にあったとしても，それほど時間をかけるつもりはないでしょう。この点を考えると，**"相当な対策量"** を前提としたアプローチは，それだけで**実現困難**となります。

　次に論述の題材についてです。"題材"というのは，後の章できちんと説明しますが，おおざっぱにいうと，論述の中で取り上げるシステム開発の概要，つまり「どのようなシステムをどのように開発したのか」ということです。

第2章　本書でオススメするSA午後Ⅱ対策アプローチ

「必ずしも試験で問われるテーマにピッタリあてはまる題材がないので困る」

　この点については，とても重要なことですので，本書でも繰り返し取り上げます。"不合格にならない答案"を作成する確率を高めるには，題材や答案内容に関する適切な認識を持つことが大前提になるからです。

　まず，前提として，**出題者が想定する案件にピッタリの経験を持っている可能性はとても低いです。**午後Ⅱは問1と問2の2つから選べるだけです。しかも，年度によっては「パッケージソフトの導入」とか「システム移行」といった特定の条件にあてはまる案件を前提にしている場合もあります。

　後述しますが，**答案（論述）内容はフィクションでかまいません。**つまり，**あなたが実際に経験したものから選ぶ必要はありません。**この点は本書でオススメするアプローチの最も重要なポイントのひとつです。

　ですから，「実際にシステム開発はほとんど経験したことがない」「ずっと同じシステムの担当をしているので，それ以外のことは知らない」「かなりの案件の経験はあるが，試験の出題テーマに合うものかどうか不安である」といった状況でも，安心してください。

25

答案作成は，システム開発と同じ

システムも
答案も要求に合わせてつくるもの

　本書のアプローチは，**限られた題材（オススメは 1 つだけ）を準備して，その場でカスタマイズ**するというものです。

　よくわからないことへのアプローチとして，よく知っていることにたとえる，という方法があります。本書ではそれを用います。システムアーキテクトの試験に合格したい，あるいは合格する必要性がある人は，ほぼ例外なく，システム開発に従事していると考えられます。

　そこで，本書では，午後Ⅱ試験の答案作成をシステム開発案件にたとえます。

第2章　本書でオススメするSA午後Ⅱ対策アプローチ

2. 答案作成はウォーターフォールモデルで

　システム開発にもさまざまな手法があるわけですが，本書では，ウォーターフォールモデルにあてはめます。理由は，ウォーターフォールモデルが答案作成にもっとも合うと考えられるからです。

ウォーターフォールモデルの特徴を簡単に確認しておきます。

- ● "後戻りなし" なので，プロジェクト管理がしやすい
- ● プロセスが簡潔でわかりやすい。
- ● プロセスおよび成果物の品質を安定させやすい。
- ● 適応性が高い。案件を選ばず適用しやすい。

　午後Ⅱの問題は，実際のシステム開発とは異なり，要件は明確ですし，途中で変更されることはありません。実際のシステム開発が "動く的" だとすると，**午後Ⅱはわかりやすく動かない的**" です。この点では実際のシステム開発よりもはるかに楽です。設問の要求に合わせて作ることだけに集中すればよいわけです。

　もちろん，ご存じのようにウォーターフォールモデルのメリットは，裏返すとデメリットになります。柔軟性に欠ける，必ずしも効率がよくないという特徴があります。しかし，現実のシステム開発と違い，答案作成においては，要求は変化しませんので，開発途中での柔軟性は必要ありません。むしろ**一度決めたら，そのとおりに作り切る姿勢が重要**です。まさにウォーターフォールモデルがピッタリです。

　本書で紹介するアプローチは，途中で構成や内容を修正したりせず，あらかじめ設計したとおりに作成していくものですので，かえって，効率は上がります。試験の答案作成は，絶対的な制限時間が設定されますから「納期遅延」は許されませんので，「効率」はとても重要になります。

27

 さらに，本書のアプローチでは，開発（答案作成）効率を高めるため，一から開発するのではなく，題材を含め，主要かつ使用する可能性が高い論述内容をモジュールとしてあらかじめ用意しておくことを併用します。

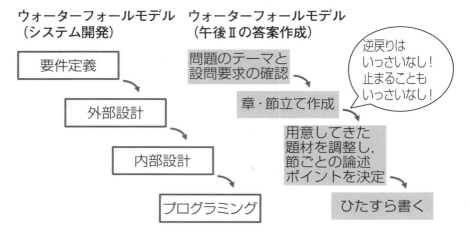

・要件定義：問題のテーマと設問要求の確認

 SA午後Ⅱ試験における要件とは，問題のテーマと設問要求のことです。問題のテーマは，問1，問2の各タイトルに明記されています。問題のテーマを確認して，どちらの問に解答するか選択する。その際に重要となるのが，あらかじめ用意してある題材です。用意してある題材を（調整は必要となりますが）使いやすい問を選べば，要件定義は完了と言えるでしょう。

 要件はすでに確定済みであり，途中で変更・修正される可能性はまったくありません。開発側（あなた）としては，依頼者（出題者）側の要求＝設問要求を「正確に把握する」ことだけが求められます。

・外部（概要）設計：章・節立て作成

 外部設計は，答案作成において"章・節立て"の設計に該当します。これは，

第2章　本書でオススメするSA午後II対策アプローチ

かなり簡単な作業です。というより，"簡単に済ませることが重要"です。加工したり勝手に内容を加えたりしてはいけません。設問要求どおりに章・節のタイトルを設計していきます。

　この設計が不正確だと答案の最終品質に大きなダメージを与えます。よって，設計し終えた段階で，次の作業に着手する前にレビューを行い，要件を満たしているか，ずれはないか，確認作業を行うことが重要です。

　この点は，実際のシステム開発案件と同じです。

＜答案構成のチェック項目＞

□　アの章・節の構成とタイトルは設問要求と対応しているか？

□　イの章・節の構成とタイトルは設問要求と対応しているか？

□　ウの章・節の構成とタイトルは設問要求と対応しているか？

・内部（詳細）設計：用意してきた題材を調整し，節ごとの論述ポイントを決定

　答案作成の場合は，節ごとにアピールする項目を検討・決定する工程になります。ここで問題文の内容（例示を含む）の反映，準備段階で用意してある題材の調整（選択）と新規で作成する"つなぎ（インタフェース）部分"の決定，新たに作成する項目（具体例など）を節ごとに設定していきます。

　この後は，ひたすら設計に従ってプログラミング（書く）作業に集中することになります。したがって，その作業に着手する前に，ここでも，設計を確認するためのレビューを行うことが重要です。

＜答案内容のチェック項目＞

□　イの内容は問題文の設定を反映しているか？

□　イの具体例は決まっているか？

□　ウの内容は問題文の設定を反映しているか？

□　ウの具体例は決まっているか？

- プログラミング：ひたすら書く

  各設問に対応して記述するボリュームは，おおよそ次のようになります。

  設問ア　600字程度
  設問イ　900字程度
  設問ウ　700字程度

  合計2,200字程度のボリュームになります。これを120分で書くことになります。「書き慣れていないと制限時間内にそれだけの分量の文章を書くことは難しい」というイメージがあるでしょう。実際そのとおりです。

  どれほど経験・実績が豊富でも，まったく準備なしにぶっつけで合格レベルの答案を作成するのは困難です。一方で，何度も実際に書くトレーニングを行わなければ書けないということではありません。作成プロセスを理解し，内容の準備を行うことにより何度も答案を作成しなくても書けるようにする。本書はそのためのものです。

■ 試験答案としての基本的な約束事

ここで午後Ⅱ試験の答案を作成するにあたっての基本的な約束事について確認しておきます。

＜午後Ⅱ論述としての約束事＞

- 文章は極力短く。そのほうが結果的にボリュームを稼ぎやすい
- 「主語」と「述部」を正確に対応させる
- 「私は」で始まる文章は極力使用しない
- 「である調」で統一する

以上が，本書のシステムアーキテクト午後Ⅱ試験へのアプローチ法です。詳しくは，後の章で説明します。

第3章

試験当日までに
準備しておくこと

―題材・モジュールについて―

1. "題材"を用意しよう

■ "題材"とは

　システムアーキテクトの午後Ⅱ試験では多くの場合，設問アで"システム開発案件の概要"について述べることを要求されます。設問アでは，それに加えて，その案件の特徴等，さらに設問イ・ウではその案件の課題や行った工夫，結果に対する評価や改善点等を，"概要"と一貫性・整合性のある形で述べることになります。
　"題材"というのは，この"システム開発案件の概要"を中心とした設問アからウまでを一貫して繋ぐ柱となる業務概要のことです。

　題材としては，汎用度が高いもの，一般的な内容のものが適しています。複数の題材を準備してもかまいませんが，前の章で述べたように，問われるテーマにピッタリあてはまる題材を用意するのは，ほぼ不可能です。ひとつの題材で十分です。
　言い方を変えると，ひとつでもいろいろなテーマに対応（調整）できるような題材を準備しておきたいということです。**本書のアプローチは，試験場で問題を確認した後，用意してきた題材を調整・カスタマイズするというもの**です。

■ 題材の準備

　さて，**題材の主要部分を占める"システム開発案件の概要"については，対象業務の概要を適切に説明することがポイント**になります。システムアーキテクトは，システムと業務をつなぐ役割ですから，対象システムはもちろん，"対象業務の概要・特徴"の説明が必須です。演習の答案を添削し

第3章　試験当日までに準備しておくこと

ていると「システムのことばかりで，業務の説明がほとんどないもの」
など指示を外した答案が少なくありません。

▲　＜業務の概要ではなくシステムの説明になってしまった例＞

	今	回	の	対	象	は	，		営	業	支	援	系	の	シ	ス	テ	ム	で	あ	る	。	当	シ	ス
テ	ム	は	，		当	社	の	す	べ	て	の	営	業	担	当	者	が	利	用	す	る	も	の	で	あ
る	。		提	供	機	能	と	し	て	は	，		個	々	の	営	業	担	当	者	の	日	々	の	ア	ク
テ	ィ	ビ	テ	ィ	管	理	，		受	注	案	件	の	管	理	，		部	門	内	で	コ	ミ	ュ	ニ	ケ
ー	シ	ョ	ン	が	主	な	も	の	で	あ	っ	た	。											

▲　＜業務の概要ではなくプロジェクトの説明になってしまった例＞

	今	回	の	対	象	は	，		営	業	支	援	系	の	シ	ス	テ	ム	開	発	プ	ロ	ジ	ェ	ク
ト	で	あ	る	。		本	プ	ロ	ジ	ェ	ク	ト	に	私	は	プ	ロ	ジ	ェ	ク	ト	マ	ネ	ー	ジ
ャ	ー	と	し	て	参	画	し	た	。		期	間	は	3	ヶ	月	間	で	あ	り	，		規	模	の	割
に	短	期	間	で	あ	る	こ	と	が	特	徴	の	一	つ	で	あ	っ	た	。					

▲　＜業務の概要ではなく経緯の説明になってしまった例＞

	当	社	は	SI	事	業	者	で	あ	る	。		従	来	は	シ	ス	テ	ム	開	発	案	件	が	主
で	あ	っ	た	が	，		パ	ッ	ケ	ー	ジ	ソ	フ	ト	の	充	実	，		ク	ラ	ウ	ド	の	利	用
の	普	及	等	に	よ	り	，		既	存	の	ア	プ	リ	ケ	ー	シ	ョ	ン	の	カ	ス	タ	マ	イ
ズ	が	主	流	に	な	っ	て	い	た	。		そ	れ	に	伴	い	受	注	か	ら	完	了	ま	で	の
期	間	が	短	く	な	っ	て	い	た	。		そ	こ	で	，		・	・	・					

　"業務の概要"については，業務特性，業務要件，業務プロセス，業務で扱う
データ・情報，といった観点から整理しておけば対応に困ることはありません。
一方，対象システムに関しては，業務と関係するシステムを用意しておけばよい
です。

33

　それでは早速，題材の作成に取り掛かりましょう。あなたが実際に経験してよく知っている案件，直接かかわっていないけれども知っている案件，社内のデータベースに蓄積されている案件，雑誌やインターネットなどの紹介記事で見たことがある案件……そういったものから合成するイメージです。場合によっては，過去のSA午後Ⅰ試験の案件を参考にするのも手です。

　SAの受験者にはSI系の仕事に従事している方が多いと思われるので，この例では，"私"がSI事業者に勤務する設定にしています。そのため，情報システムは自社開発したシステム（アクティビティ管理システム）にしています。
　もし，一般企業のIT部門に所属する"私"であれば営業業務支援系システム（SFA）が，パッケージやクラウド利用の設定にも対応できるので題材として使い勝手がよいでしょう。

<題材例>

対象業務：SAの私が勤務するSI事業者の営業業務
対象業務の業務特性：責任者による承認が必要となる
　　　　　　　　　　月末，4半期末，年度末などに入力処理集中
対象業務の業務要件：速やかに処理（顧客に対応）することで受注獲得
対象業務の業務プロセス：引き合い→見積もり→責任者による承認→顧客へ
　　　　　　　　　　　　提案
対象業務で扱うデータ：案件内容，提案内容，受注予定金額
関連する情報システム：アクティビティ管理システム
その他の関連システム：売上管理システム

第3章　試験当日までに準備しておくこと

✎ 題材を書いてみましょう ✎

対象業務　　：

対象業務の業務特性　：

対象業務の業務要件　：

対象業務の業務プロセス　：

対象業務で扱うデータ　：

関連する情報システム　：

その他の関連システム　：

　以上が題材について，事前に用意しておく部分です。これを試験本番で，実際に問われるテーマ・設問要求に合わせて調整・カスタマイズしていきます。

　とはいえ，ぶっつけ本番ではじめて題材を調整するのは難しいでしょう。本番を意識したリハーサルはやっておいたほうがよいでしょう。この後の章でリハー

サルと本番について説明します。"題材の調整"についても，そこで説明しますのでご安心ください。

題材のイメージの肉づけ

午後Ⅱは答案の他にもうひとつ提出物があります。試験実施機関および経済産業省が受験者の属性や状況を把握するためのアンケートに近いものです。フォーマットと質問項目は次のようになっています。

論述の対象とする計画策定又はシステム開発の概要

質問項目	記入項目
計画又はシステムの名称	
① 名称 30字以内で，わかりやすく簡潔に表してください。	【例】1. 生産管理システムと販売管理システムとの連携計画 2. 地方自治体でのクラウドサービスを用いた防災管理システムの導入 3. コールセンターのログを活用したマーケティングシステムの構築
対象とする企業・機関	
② 企業・機関などの種類・業種	1. 建設業　2. 製造業　3. 電気・ガス・熱供給・水道業　4. 運輸・通信業　5. 卸売・小売業・飲食店 6. 金融・保険・不動産業　7. サービス業　8. 情報サービス業　9. 調査・広告業 10. 医療・福祉業　11. 農業・林業・漁業・鉱業　12. 教育(学校・研究機関)　13. 官公庁・公益団体 14. 特定しない　15. その他(　　　　　　　　　　　　　　　　　　　　　　　　　)
③ 企業・機関などの規模	1. 100人以下　2. 101〜300人　3. 301〜1,000人　4. 1,001〜5,000人　5. 5,001人以上 6. 特定しない　7. 分からない
④ 対象業務の領域	1. 経営・企画　2. 会計・経理　3. 営業・販売　4. 生産　5. 物流　6. 人事　7. 管理一般 8. 研究・開発　9. 技術・制御　10. 特定しない　11. 分からない
システムの構成	
⑤ システムの形態と規模	1. クライアントサーバシステム　ア. (サーバ約　　　台, クライアント約　　　台)　イ. 分からない 2. Webシステム　　　　　　　　ア. (サーバ約　　　台, クライアント約　　　台)　イ. 分からない 3. メインフレーム又はオフコン　(約　　　台)及び端末(約　　　台)によるシステム 4. その他(　　　　　　　　　　　　　　　　　　　　　　　　　　　　　　　　　)
⑥ ネットワークの範囲	1. 他企業・他機関との間　2. 同一企業・同一機関の複数事業所間　3. 単一事業所内 4. 単一部門内　5. なし　6. その他(　　　　　　　　　　　　　　　　　　　　　)
⑦ システムの利用者数	1. 1〜10人　2. 11〜30人　3. 31〜100人　4. 101〜300人　5. 301〜1,000人 6. 1,001〜3,000人　7. 3,001人以上　8. 特定しない　9. 分からない

第3章　試験当日までに準備しておくこと

質問項目	記入項目
計画策定又はシステム開発の規模	
⑧ 総工数	1.（約　　　　人月）　2.分からない
⑨ 総額	1.（約　　　　　百万円）（ハードウェア費用を　ア.含む　イ.含まない）　2.分からない
⑩ 期間	1.（　　　年　　月）～（　　　年　　月）　2.分からない
計画策定又はシステム開発におけるあなたの立場	
⑪ あなたが所属する企業・機関など	1.ソフトウェア業,情報処理・提供サービス業など　2.コンピュータ製造・販売業など 3.一般企業などのシステム部門　4.一般企業などのその他の部門 5.その他（　　　　　　　　　　　　　　　　　　　　　　　　　　　　　）
⑫ あなたが担当した業務	1.情報処理戦略策定　2.企画　3.要件定義　4.システム設計　5.ソフトウェア開発 6.システムテスト　7.導入　8.運用・評価　9.保守　10.その他（　　　　　　）
⑬ あなたの役割	1.全体責任者　2.チームリーダー　3.チームサブリーダー　4.担当者 5.企画・計画・開発などの技術支援者　6.その他（　　　　　　　　　　　　）
⑭ あなたが参加したチームの構成人数	（約　　　　～　　　　人）
⑮ あなたの担当期間	（　　　年　　月）～（　　　年　　月）

※以上の書面は見本です。本試験で，まったく同じ書面となるとは限りません。

　この情報がどの程度答案の評価に影響するのかはわかりませんが，こんなところで損をしたくありませんし，時間も使いたくないですから，それなりの内容をさっさと記入・選択してしまいたいところです。そこで，準備した題材をもとに一度記入してみましょう。答案内容がフィクションですから，ここの内容もフィクションでよいですし，真剣に考える必要もありません。適当に埋めてみてください。

　「適当でいいから」「何でもいいから」と言われると，かえって答えにくくなる場合もあります。その意味で，事前に一度やっておくことは有効です。また，用意した題材のイメージの肉づけにもつながると思います。

第3章 試験当日までに準備しておくこと

2. 題材以外に準備しておきたい モジュール

■ "モジュール" とは

　ここまで "題材の用意" について説明してきました。題材の用意はSA午後Ⅱ試験に臨むにあたり，ほぼ必須要件と言ってよいことですが，題材以外にも事前に用意しておくことで，合格にグッと近づく定型句というか，定番の論述内容・表現があります。

　本書では，そのような合格論述表現を "モジュール" とよぶことにします。いくつかオススメの "モジュール" を本書の「不合格にならない＝合格する論述方法」というテーマにしたがって，採点者の評価を落とす「残念な表現」とも適宜，比較しながら紹介します。

■ コミュニケーション関係モジュール

　システムアーキテクトは，システム開発の上流工程を主に担当します，要件は業務に対する知識です。システム開発の知識経験も前提になりますが，業務特性，業務要件，業務部門のニーズ，業務プロセス，業務で扱う情報といったことに十分な知見を持っている前提になります。ただし，その業務を直接担当しているわけではないので，システム開発にあたって業務部門とのコミュニケーションが必要になります。つまり，**多くの出題で「業務部門とのコミュケーション」について述べる可能性が高い**ということです。

　コミュニケーションは "方向" を持ちます。発信と受信です。午後Ⅱの論述にあてはめると次のようになります。

39

<コミュニケーションは受発信>

> **発信**：業務部門に適切に伝える・理解させる。
> **受信**：業務部門から必要な情報を入手する。

　また，**開発案件を業務部門と密接な関係を維持したまま続けていくためのコミュニケーションは重要**です。その場合は，"双方向のやりとり"を強調すればよいです。

<コミュニケーション関係モジュールを使えそうな場面設定>

> ・直接会う場（機会）を重視した
> ・定期的に（あるいは何度も）話を聞く（あるいは説明する）場を設けた
> ・グループで話を聞く場と，個別にヒアリングする機会を使い分けた

　では，実際に「使えそうな場面」で具体的な内容を加えて書いてみましょう。

<具体的内容を加えた例>

・直接会う場（機会）を重視した

　　業務部門とのコミュニケーションにおいて工夫したことは，直接会う機会を重視したことである。例えば，開発チームの作業スペースを業務部門の会議室に確保し，自然な形で開発チームメンバと業務部門が頻繁にコミュニケートできるようにした。

・定期的に（あるいは何度も）話を聞く（あるいは説明する）場を設けた

　　業務部門とのコミュニケーションにおいて工夫したことは，何度も説明する場を設けたことである。例えば，今回の主要部門である営業部門には，まず責任者である営業部長に説明し，次に3つの営業課それぞれへの説明，そして最終的に部門全体に説明する場を設けた。

第3章 試験当日までに準備しておくこと

・グループで話を聞く場と，個別にヒアリングする機会を使い分けた

	業	務	部	門	と	の	コ	ミ	ュ	ニ	ケ	ー	シ	ョ	ン	に	お	い	て	工	夫	し	た	こ
と	は	，	グ	ル	ー	プ	で	話	を	聞	く	場	と	，		個	別	に	ヒ	ア	リ	ン	グ	す	る
場	を	使	い	分	け	た	こ	と	で	あ	る	。	例	え	ば	，		入	社	2	，	3	年	の	業
歴	が	浅	い	社	員	に	は	グ	ル	ー	プ	形	式	で	比	較	的	自	由	に	話	を	し	て
も	ら	い	，		業	務	に	精	通	し	て	い	る	中	堅	ク	ラ	ス	の	社	員	に	対	し	て
は	，		個	別	に	ヒ	ア	リ	ン	グ	を	行	っ	た	。								

■ リスク関係モジュール

　システム開発には「リスク」がつきものです。午後Ⅱ試験においても，リスクについて述べるケースは少なくありません。

　その際，リスクではないものを"リスク"として記述してしまうと，とても印象が悪くなります（システム開発をやっているのに，リスクを正しく理解していないのか？　ということになります）。まして，設問要求として明示的にリスクについて述べるように要求された場合，リスクじゃないものを解答してしまうと「要求に答えていない（指示に従っていない）」答案＝不合格答案になってしまいます。

　そこで，まずはリスクの知識を確認しておくことにします。システムアーキテクトの午後Ⅱの論述におけるリスクは，次のように考えるとよいです。

＜用語は正しく使いましょう＞

> **リスク**＝将来発生する可能性があり，発生した場合，業務
> に影響が出ること

　論述のポイントとしては，**リスクは，まだ発生していないこととして
記述する**ことです（**現状の問題点ではありません**）。
　リスクは，発生確率と発生した場合の影響度の2つで対応の優先度を判断する

41

ものです（影響がはっきりしないものはリスクではありません）。

　具体例で説明しましょう。

▲　＜残念な表現　問題点になってしまっている例＞

|リ|ス|ク|は|,|業|務|上|の|要|件|が|あ|い|ま|い|な|ま|ま|で|あ|っ|た|こ|
|と|で|あ|る|。| | | | | | | | | | | | | | | | | | | |

　⇒これはその時点ですでに発生していたことですし，しかも，影響がはっきりしませんから二重にまずい内容です。

○　＜リスクらしく表現した例＞

リ	ス	ク	は	,	業	務	上	の	要	件	が	あ	い	ま	い	だ	っ	た	た	め	,	手	戻
り	が	発	生	し	コ	ス	ト	超	過	を	招	く	可	能	性	が	高	か	っ	た	こ	と	で	あ
る	。																							

■ 評価関係モジュール

　次に，実施したシステム開発に対する"評価"の内容・表現方法も確認しておきます。これは，おもに設問ウで要求されることが多いです。

　評価は，価値を判断すること・決めることです。感想ではありません。

　実施したことの評価は，実施したことについて客観的・具体的な事実に基づいて行うものです。ですから，まず実施状況や実施結果を数値も使って定量的・客観的に示した上で，明確な評価を記述することが大事です。

　設問ウで"評価"が求められた場合，採点の中心はそこになります。設問イまで自分の設計に従って順調に書き進めてきたとしても，設問ウの評価の記述がいまひとつだと，それだけの理由で，「合格水準まであと一歩である」あるいは「内容が不十分である」という評価になってしまう可能性が高いです。

第3章　試験当日までに準備しておくこと

具体例で説明しましょう。例えば次のような説明は，評価になっていません。

▲　＜残念な表現①＞

| | 今 | 回 | の | 開 | 発 | は | 業 | 務 | 要 | 件 | が | 固 | ま | ら | ず | 多 | 少 | の | 混 | 乱 | は | あ | っ | た |
| も | の | の | ， | | 無 | 事 | 完 | 了 | す | る | こ | と | が | で | き | た | の | で | 満 | 足 | し | て | い | る | 。 |

⇒これはただの感想です。

▲　＜残念な表現②＞

| | 私 | が | 行 | っ | た | 工 | 夫 | は | ， | | 十 | 分 | な | 成 | 果 | が | あ | っ | た | 。 | | そ | の | 意 | 味 | で |
| は | 大 | き | な | 成 | 果 | で | あ | っ | た | 。 | | | | | | | | | | | | | | | |

⇒何が成果なのか？　どうして十分なのか？　何を規準にどのように評価したのか？　さっぱりわかりません。

▲　＜残念な表現③＞

| | 今 | 回 | の | 開 | 発 | は | ， | | 業 | 務 | 部 | 門 | か | ら | 十 | 分 | に | 評 | 価 | さ | れ | た | 。 | | |

⇒このような答案もかなりあります。客観的な評価という意味では他者からの評価もあってよいですが，それを踏まえたうえで"SAの私"の視点からの評価が要求されているわけで，具体性にも欠け，その点では，何も解答していないことになります。

43

○ ＜評価らしくまとめた例＞

設	問	イ	で	述	べ	た	施	策	に	よ	り	，	今	回	の	開	発	は	，	当	初	の	計
画	ど	お	り	開	発	期	間	９	ヶ	月	，	開	発	工	数	30	人	月	で	完	了	し	た	。
ま	た	，	導	入	後	の	業	務	部	門	へ	の	調	査	を	実	施	し	た	結	果	，	改	善
要	望	が	３	件	出	た	が	，	い	ず	れ	も	早	急	な	改	善	を	希	望	す	る	も	の
で	は	な	く	，	業	務	上	の	影	響	は	軽	微	な	も	の	で	あ	っ	た	。	以	上	の
こ	と	か	ら	，	今	回	の	開	発	に	お	け	る	対	応	は	十	分	な	も	の	で	あ	っ
た	と	評	価	し	て	い	る	。

　次の章からは，いよいよ試験本番でのウォーターフォールモデルによる答案作成について，説明します。

第4章

論述答案の書き方①

要件定義／
問題のテーマと
設問要求の確認

1．答案作成の工程と6つのルール

■ ウォーターフォールモデルで答案作成

　さて，この章では試験本番さながらに答案作成の工程を順番に説明していきます。前述した通り，本書でオススメする答案作成の手順は，システム開発でなじみの深いウォーターフォールモデルになぞらえたものです。

＜答案作成のウォーターフォールモデルをおさらい＞

工程①　要件定義／問題のテーマと設問要求の確認

　工程②　外部（概要）設計／章・節立て作成

　　工程③　内部（詳細）設計／用意してきた題材を調整し，節ごとの論述ポイントを決定

　　　工程④　プログラミング／ひたすら書く

　この章では，要件定義／問題のテーマと設問要求の確認　の工程を詳しく説明します。

第4章　要件定義／問題のテーマと設問要求の確認

■ 6つのルール

　答案作成工程に入る前に，答案の作成時に大切な"6つのルール"を紹介します。"ルール"という表現を使っていますが，あなた自身の答案作成プログラムに当てる"パッチ"だと考えても結構です。

＜不合格にならないための6つの作成ルール＞

ルール①	開始の合図があったら，"SAの私"になる
ルール②	問題のタイトルを読んだら，題材の調整（選択）を行う
ルール③	設問を読んだら，設問内容をもとに章・節のタイトルを決める
ルール④	問題文を読んだら，節レベルでアピールするポイントを決める
ルール⑤	各節の内容を論述する際には，その節のタイトルを主語にした文章を含める
ルール⑥	実施したことを書く際には，具体性ルーチンを使用する

　それぞれのルールは，各工程のなかで適用していきますが，この6つのルールを守って，答案を作成すれば，不合格になる答案にはなりません。

2. 答案作成工程❶ 要件定義／問題のテーマと設問要求の確認

　答案作成の最初の作業になります。おもな作業は以下の２つです。

> 1. 問１・問２の問題のテーマを確認し，用意してある題材で答案を作成しやすいほうを選ぶ。
> 2. 選択した問題のテーマから，必要に応じて題材の調整を行う。

　これらの作業を行う前提として，"心構え"があります。メンタルなことではなくあくまで，SAの試験の答案を作成するための確認・準備作業です。"6つのルール"①を適用します。

ルール❶　開始の合図があったら，"SAの私"になる。

　どの問題であっても，共通する答案の要件があります。第１章の「3. 不合格にならない答案の要件」で確認したように答案の中の"私"の立場がシステムアーキテクトであること（要件①）です。

　あなたが日頃どのような立場でどのような業務を担当しているかにかかわらず，答案内容は"システムアーキテクトの私"でないと，せっかく答案を作成しても，"出題の要求から著しく逸脱している"という評価になってしまいます。そうなると，どれだけ書いても不合格（D評価）です。そのような事態は避けたいです。すでに説明したように答案内容はフィクションで対応するわけですから，**実際のあなたと答案の中の"私"が同じである必要はまったくないわ**けです。むしろ，明確に異なるものと想定したほうが書きやすくなります。

■ 問題のテーマを確認し，用意してある題材で答案を作成しやすいものを選ぶ。

　問題の選択には時間をかけたくないので，テーマと設問内容から「書けそう」

第4章　要件定義／問題のテーマと設問要求の確認

であれば問1・問2のどちらでもよいです。「ピッタリのもの」を探す，より適切なものを選ぶ（という意識がはたらく）と，迷いが生じ，無駄な時間を使ってしまうことになります。

■ 選択した問題のテーマから，必要に応じて題材の調整を行う

次に，"6つのルール" ②を適用して題材の調整を行います。

ルール❷　問題のタイトルを読んだら，題材の調整（選択）を行う。

問題文のタイトル部分を読むと，テーマがわかります。そのテーマにもとづき書きやすそうな問題を選択したわけですが，ここで，あらためて準備してある題材内容の確認を行い，「おおよそこんな感じにしよう」と方向を検討します。

題材を複数準備している場合は，その中からもっとも出題者が期待する内容に近い答案が作成できそうなものを選びます。題材がひとつの場合は，必要に応じて「どこをどう調整して出題者が期待する内容にするか」を検討します。

繰り返しになりますが，本書の**オススメは，題材をひとつ用意して調整（カスタマイズ）**のほうです。理由は簡単で，「汎用度（適用性）の高い題材をたったひとつ用意しておけば，ほとんどの問題に対応することができるから」です。現実のあなたがシステム開発に関わった経験はどれほど多くてもせいぜい数十でしょう。100を超える人などまずいません。数十の経験の中に，問題のテーマと設問要求にぴったりの題材がある可能性は大変低いです。

不合格にならない答案はフィクションで作成できます。というよりむしろ「**フィクションのほうが不合格にならない答案は作成しやすい**」と言えます。現実にあったことにこだわると，どうしてもテーマや要求に答えきれないところが出てきますから。「一部だけ事実と異なることを書く」のと「まったく経験したことのないことを書く」は程度が違うだけです。採点者にその区別はつきません。

もちろん，複数の題材から選んでもかまいません。ただその際注意したいのは，

49

あくまで"テーマに合った内容を書きやすい題材を選ぶ"ということであって，"よく知っているから書きやすい題材"を選ぶということではない，ということです。よく知っている題材は，ついつい"書けることを書く答案"になりやすいです。そうなると仮に具体性はあっても，「内容が不十分（C評価）」あるいは「出題の要求から著しく逸脱している（D評価）」の答案になってしまう可能性が高くなります。題材をひとつ用意しておいて，それを問題のテーマと要求に合うようにカスタマイズするというアプローチであれば，このような心配もいりません。

■ "調整（カスタマイズ）"をどのように行うのか？

第3章でオススメした「営業支援系システム」の題材を例に使って説明しましょう。

＜用意していた題材＞

対象業務：SAの私が勤務するSI事業者の営業業務

対象業務の業務特性：責任者による承認が必要となる
　　　　　　　　　　　月末，4半期末，年度末などに入力処理集中

対象業務の業務要件：速やかに処理（顧客に対応）することで受注獲得

対象業務の業務プロセス：引き合い→見積もり→責任者による承認→顧客へ提案

対象業務で扱うデータ：案件内容，提案内容，受注予定金額

関連する情報システム：アクティビティ管理システム

その他の関連システム：売上管理システム

第4章　要件定義／問題のテーマと設問要求の確認

＜令和6年度　問1の問題文のタイトル＞

問1　人手によってしか実現できないと考えていた業務への先進技術の適用
について

・人手で行っていたことをシステムで効率化，自動化した業務が前提となる。
・先進技術を利用した題材にする。

＜題材と問題の設定から「人手で行っていたこと」を「見積もり提案の承認処理」，
先進技術は「RPAツール」にすることで調整してみた例＞

※網掛け部分が調整したところです。

対象業務：SAの私が勤務するSI事業者の営業業務
対象業務の業務特性：責任者による承認が必要となる　　　業務特性はこれを選ぶ
　　　　　　★承認は人手によってしか実現できない
　　　　　　月末，4半期末，年度末などに入力処理集中
　　　　　　　　　　　　　　　　★不要なのでカット
対象業務の業務要件：速やかに処理（顧客に対応）することで受注獲得
対象業務の業務プロセス：引き合い→見積もり→責任者による承認→顧客へ
　　　　　　　　提案
　　　　　　★責任者による承認に時間を要することがある
　　　　　　ここをRPAツールで自動化
対象業務で扱うデータ：案件内容，提案内容，受注予定金額
関連する情報システム：アクティビティ管理システム
その他の関連システム：売上管理システム　　★不要なのでカット

　この例では，業務特性として「承認が人手によってしかできないこと」に設定し，
業務プロセスとして「責任者による承認に時間を要することがある」から「RPA
ツールによる自動化」で大幅に効率化という大枠のシナリオを描いています。

51

　この作業は重要なので，実際にやってみましょう。題材をカスタマイズする練習になるので，次の問題文のタイトルを使って，題材の調整を行ってみましょう。用意してきた題材は上と同じものです。

＜令和6年度　問2の問題文のタイトル部分＞

問2　バッチ処理の設計

🔖 題材を調整してみましょう 🖊

対象業務：

対象業務の業務特性：

対象業務の業務要件：

対象業務の業務プロセス：

対象業務で扱うデータ：

関連する情報システム：

その他の関連システム：

第4章　要件定義／問題のテーマと設問要求の確認

＜題材の調整例＞　　　　　　　　　※網掛け部分が調整したところです。

対象業務：SAの私が勤務するSI事業者の営業（受注）業務と会計処理（売
　　　上集計）

対象業務の業務特性：責任者による承認が必要となる　★不要なのでカット
　　　月末，4半期末，年度末などに入力処理集中
　　　★締日の夜ギリギリまで受注情報を入力する

対象業務の業務要件：受注（営業）当月の受注金額をもれなく実績として反
　　　映させる

対象業務の業務プロセス：受注活動→システムへの入力→会計処理で当月実
　　　　　績（売上）に反映
　　　　　★バッチ処理後に受注入力されるケースがある

対象業務で扱うデータ：受注データ（受注金額，担当営業，責任者）

関連する情報システム：アクティビティ管理システム

その他の関連システム：売上管理システム
　　　★会計処理は月1回バッチ処理される

　題材の調整については，あくまで必要に応じて行います。テーマに特別な制約
がない場合は，調整する必要はありません。

53

第5章

論述答案の書き方②

外部設計／
章・節立ての作成

1. 答案作成工程❷ 外部設計／章・節立ての作成

　答案作成のウォーターフォールモデルの２段階目"外部設計／章・節立ての作成"に移ります。ここでは，設問アから設問ウの内容（設問要求）をもとに，章・節立てを行います。

　ここで"６つのルール"③を適用します。

> **ルール❸　設問を読んだら，設問内容をもとに章・節のタイトルを決める。**

　答案は，内容が大切ですが，「形式」も馬鹿にならない重要性を持ちます。「要求に素直に答えています」ということを採点者にわかりやすく伝えるには，形式がとても重要です。このルールは，それを簡単に実現するためのものです。

　具体的には，**設問ア〜ウの要求にストレートに合わせた章・節立て**を行います。これはあなたの答案が設問に素直に答えていることをアピールするとともに，採点者に読みやすい形式にする効果があります。**"読みやすさ"はとても重要な要素です**。あなたの作成したプログラム（答案）は採点者の頭の中（採点者のOSのもと）で解釈されますからね。

　さらに，あなた自身にとっても，各節のタイトル通りの内容を書けばよいことになるので，設問要求をはずした内容になりにくくなるという効果ももたらします。

　作業上のポイントは，「事務的・機械的に行うこと」です。自分勝手な解釈を加えず，設問文の内容にストレートに合わせることに徹することが重要です。

第5章　外部設計／章・節立ての作成

■「設問ア～ウの要求にストレートに合わせた章・節立てを行う」ってどうやるのか？

具体例で説明しましょう。以下の設問は，令和6年度の問1の設問ア～ウです。

設問ア　あなたが先進技術を適用した業務について，業務の内容と，その業務が人手によってしか実現できないと考えられた理由を，800字以内で述べよ。

設問イ　設問アで述べた業務に，どのような先進技術をどのように適用したのか。大幅な効率化や自動化が可能と考えた理由を含めて，800字以上1,600字以内で具体的に述べよ。

設問ウ　設問アで述べた業務に先進技術を適用した際に，どのような課題が生じ，どのような対策を取ったのか。600字以上1,200字以内で具体的に述べよ。

ここから，"ストレート（素直）に"章・節立てを行うと，次のようになります。設問と章・節立てを比べて確認してみてください。

＜章・節立ての例＞

---

1. 先進技術を適用した業務について
    1. 1. 業務の内容
    1. 2. 人手によってしか実現できないと考えられていた理由

2. 先進技術の適用について
    2. 1. 適用した先進技術
    2. 2. 先進技術の適用方法
    2. 3. 大幅な効率化や自動化が可能と考えた理由

57

```
3．先進技術適用にあたっての課題と対策
    3．1．適用にあたって生じた課題
    3．2．課題への対策
```

　まず，基本的なポイントとして，設問アが第1章（1．）で，設問イが第2章（2．），設問ウが第3章（3．）という形式は，問1・問2のどちらを選んでも，また，どの年度の午後Ⅱ問題であっても共通です。なお，解答用紙では，設問ア・イ・ウ，つまり第1章・第2章・第3章の解答欄（原稿用紙の書き出しの位置）は，決められています。

　そして，各章の下位項目として"節"（1．1．など）を立てますが，節の数は設問の内容によって，場合によってはあなたの論述方針によっても変わってきます。この点は，詳しく説明していきます。

> 設問アの答案が第1章，設問イの答案が第2章，設問ウの答案が第3章となる。

　上のように一気にまとめて確認すると，わかりにくいかもしれませんので，設問ア～ウそれぞれの内容と章・節の対応に分解してみます。

> **設問ア**　あなたが先進技術を適用した業務について，業務の内容と，その業務が人手によってしか実現できないと考えられた理由を，800字以内で述べよ。

```
1．先進技術を適用した業務について
    1．1．業務の内容
    1．2．人手によってしか実現できないと考えられていた理由
```

第5章　外部設計／章・節立ての作成

> **設問イ**　設問アで述べた業務に，どのような先進技術をどのように適用したのか。大幅な効率化や自動化が可能と考えた理由を含めて，800字以上1,600字以内で具体的に述べよ。

> ２．先進技術の適用について
> 　２．１．適用した先進技術
> 　２．２．先進技術の適用方法
> 　２．３．大幅な効率化や自動化が可能と考えた理由

> **設問ウ**　設問アで述べた業務に先進技術を適用した際に，どのような課題が生じ，どのような対策を取ったのか。600字以上1,200字以内で具体的に述べよ。

> ３．先進技術適用にあたっての課題と対策
> 　３．１．適用にあたって生じた課題
> 　３．２．課題への対策

　ご覧のように，節のタイトルは，設問文から適切な部分を機械的に持ってくるだけでほぼ完成します。章のタイトルは，節タイトルを統合したものです。場合によっては，設問アや設問イの点線のアンダーライン部分のように，設問文の一部をそのまま使えることもあります。

　何もびっくりするような作業ではないですし，とても簡単です。でも，その効果はかなり大きいです。さらに章立てするとその分，行数（ボリューム）が増

えます。結果的に設問要求のひとつである制限字数の下限（設問イでは800字，設問ウでは600字）をクリアしやすくなります。

● 「どのような」と「どのように」に注目

　設問の指示に正確に従うのが合格への近道ですが，意味がまぎらわしい語句があります。その最も典型的なものが，次の２つです。

　設問イ，ウのアミ掛け部分もその例ですが，「どのように」は，やり方や方法についての説明を求めています。対して，「どのような」は，内容の説明になります。
　「どのように」を「どのような」と取り違えるエラーはかなり多いです（逆はほとんど見たことがありません）。このエラー対策としては，タイトルに「○○方法」とつけてしまうことが有効です。
　一方，「どのような○○（名詞）か？」という設問文には，節のタイトルを「〜〜○○」と体言止めにするとよい場合が多いです。

＜"どのように" と "どのような" のちがい＞

```
●どのように　（例：どのように分析したか）　≒　How
　　⇒「○○方法」とタイトル付け
●どのような　（例：どのような分析をしたか）　≒　What
　　⇒体言止めでタイトル付け
```

ちょっとひと言 ・・・・・・・・・・・・・・・・・・・・・・・

章立てした答案と章立てしていない答案では，どれくらい違うのか？

　試しに，次の2つの答案を比べてみてください。採点者のつもりで読んでみましょう。

○ 【章立てした答案】

1	.	先	進	技	術	を	適	用	し	た	業	務	に	つ	い	て				
1	.	1	.	業	務	の	内	容												

　対象は，営業業務である。当社はSI事業を中核とし運営を行っており，ソリューション提案品質の高さにより業界内で優位性を築いている。

　提案は内容が重要であるが，提案までの期間が決め手になることも少なくない。かなり大きな金額が絡むため，顧客への提案前に責任者による承認が義務付けられている。しかし，案件増加に伴い承認処理の時間を要するケースが目立つようになっていた。

　時間を要するのは，案件内容の確認ではなく，責任者の承認処理待ちが要因であった。たとえば，水曜日に申請し金曜日に顧客側に提案しようとしていた案件が営業部長の不在により金曜日までに承認処理が行われなかったため提案が翌週になってしまい，受注に至らなかったということがあった。

1	.	2	.	人	手	に	よ	っ	て	し	か	実	現	で	き	な	い	と	考	え	ら	れ	て	い

　承認処理は，業務上の責任をも伴う行為である。単に承認処理する・しないではなく，内容を確認した上で行うことが要件になる。……

▲ 【残念な例　章立てしていない答案】

対象は，営業業務である。当社はSI事業を中核とし運営を行っており，ソリューション提案品質の高さにより業界内で優位性を築いている。提案は内容が重要であるが，提案までの期間が決め手になることも少なくない。かなり大きな金額が絡むため，顧客への提案前に責任者による承認が義務付けられている。しかし，案件増加に伴い承認処理の時間を要するケースが目立つようになっていた。時間を要するのは，案件内容の確認ではなく，責任者の承認処理待ちが要因であった。たとえば，水曜日に申請し金曜日に顧客側に提案しようとしていた案件が営業部長の不在により金曜日までに承認処理が行われなかったため提案が翌週になってしまい，受注に至らなかったということがあった。承認処理は，業務上の責任をも伴う行為である。単に承認処理する・しないではなく，内容を確認した上で行うことが要件になる。……

　こうして比べてみると，"見た目"はもちろん"読みやすさ"がずいぶん違うことがわかります。また，【章立てした答案】は，【章立てしていない答案】にくらべ，行数が多くなっています。「制限時間内で一定字数を書かなければ・・・」というプレッシャーはあせりにつながり，結果，要求されたことではなく，「書けることを書く」という事故につながりやすいので，ボリュームを稼ぐという点でも章立ては効果があります。

　模試や演習の採点をしていると，「章立てしていない」答案，もっとヒドくなると「段落分けもしていない」答案が少なからずあります。また，章立てはしてあっても，タイトルが設問要求と違っているものもあります。おそらく本試験においても一定数そのような答案はあると考えられます。ということは，あなたが"6つのルール"③「設問を読んだら，設問内容をもとに章・節のタイトルを決める」に従って章立てを行うことで，好印象になる（少なくとも悪い印象は与え

第5章　外部設計／章・節立ての作成

ない）ことが期待できます。

● ●

■ 試しにやってみましょう

　章立て（外部設計）はとても重要な作業です。作業ですから，実際にやってみるのが一番です。試しに，次の設問をもとに，章立てを行ってみましょう。

令和6年度　問2　バッチ処理の設計

> **設問ア**　あなたが携わったバッチ処理の設計について，対象とする業務と情報システムの概要，及び業務上の特性や制約について，800字以内で述べよ。
>
> **設問イ**　設問アで述べたバッチ処理について，どのような課題があったか。その課題を解決するために，どのような設計にしたか。工夫した点を中心に，800字以上1,600字以内で具体的に述べよ。
>
> **設問ウ**　設問アで述べたバッチ処理で，エラーが発生しても処理を継続させるようにするために，どのような仕組みを組み込んだか。そのように設計した理由とともに，600字以上1,200字以内で具体的に述べよ。

✎ 章・節を立ててみましょう ✎

> 1.
>
> 　1. 1.
>
> 　1. 2.
>
> 　1. 3.

2.
2.1.
2.2.
3.
3.1.
3.2.

<章立て(外部設計)例>

1. バッチ処理の設計について
    1.1. 対象とする業務の概要
    1.2. 情報システムの概要
    1.3. 業務上の特性や制約
2. バッチ処理における課題と解決について
    2.1. バッチ処理における課題
    2.2. 課題解決のための設計(工夫)
3. エラーが発生しても処理を継続させるための仕組み
    3.1. エラーが発生しても処理を継続させるために設計した仕組み
    3.2. 設計した理由

第5章 外部設計／章・節立ての作成

令和5年度 問1 デジタルトランスフォーメーションを推進するための情報システムの改善について

設問ア あなたが携わったDXの推進では，どのような課題があったか。DXの目的と情報システムの概要を含め，800字以内で述べよ。

設問イ 設問アで述べた課題の解決のために，情報システムをどのように改善しようとしたか。解決できると考えた理由を含め，800字以上1,600字以内で具体的に述べよ。

設問ウ 設問イで述べた情報システムの改善において，何のためにどのような工夫を検討したか。600字以上1,200字以内で具体的に述べよ。

✎ 章・節を立ててみましょう ✎

1.

　1.1.

　1.2.

　1.3.

2.

　2.1.

　2.2.

3.

　3.1.

　3.2.

<章立て(外部設計)例>

```
1. DX推進の概要
    1.1. DXの目的
    1.2. 情報システムの概要
    1.3. DX推進にあたっての課題
2. DX推進の課題に向けての情報システムの改善
    2.1. 情報システムの改善
    2.2. 課題が解決できると考えた理由
3. 改善において検討した工夫
    3.1. 工夫の目的
    3.2. 検討した工夫
```

令和5年度 問2 利用者と直接の接点がない情報システムのユーザーインターフェースについて

> **設問ア** あなたが開発に携わった,開発者が利用者と直接の接点を持つことが難しい情報システムについて,開発の目的,対象の業務と情報システムの概要を,800字以内で述べよ。
>
> **設問イ** 設問アで述べた情報システムにおけるUIについて,利用者像をどのように想定し,どのようなUIを検討したか。検討で発生した適切なUIを選択する際の課題とその対応策を交え,800字以上1,600字以内で具体的に述べよ。
>
> **設問ウ** 設問アで述べた情報システムでUIを継続的に適切化していくための工夫について,600字以上1,200字以内で具体的に述べよ。

第5章　外部設計／章・節立ての作成

✎ 章・節を立ててみましょう ✎

1.

　1.1.

　1.2.

　1.3.

2.

　2.1.

　2.2.

　2.3.

3.

＜章立て（外部設計）例＞

1. 開発した情報システムの概要
　1.1. 開発の目的
　1.2. 対象業務の概要
　1.3. 情報システムの概要
2. 情報システムのUIについて
　2.1. 想定した利用者像
　2.2. 検討したUI
　2.3. 適切なUIを選択する際の課題と対応策
3. UIを継続的に適切化していくための工夫

67

　章立てはメモしたほうがよいです。「書くこと」で全体の構成や流れをイメージできますし，実際の答案を書き進める際に，「これから書くことは？」とあらためて確認する材料にもなりますから。

　万一，この章立てのメモが不適切だと，答案内容も要求をわかりやすくはずしていることをアピールすること（あなたがやりたいことの真逆のこと）になってしまうので，メモを作成し終えた時点で，あらためて設問文をすべて読み直し，内容的に読み間違いや勘違いがないことを確認する手順を実践しましょう。

第6章

論述答案の書き方③

内部設計／節ごとの
論述ポイントの決定

1. 答案作成工程❸ 内部設計／節ごとの論述ポイントの決定

　外部設計として作成した章・節立て，調整した題材および問題文の内容から，節ごとにアピールするポイントを決めていきます。章・節が答案の骨組みだとすると，若干の肉付けにあたる作業です。内容的に膨らませる論点をイメージしておくということです。
　ここで"6つのルール"④を適用します。

> **ルール❹**　問題文を読んだら，節レベルでアピールするポイントを決める

　"6つのルール"③の章・節立てが外部設計に該当すると考えると，このルール④は内部設計にあたります。題材（ルール②）と外部設計（ルール③）をもとに，問題文の内容を踏まえ，各節で展開（記述）するポイントを設定（メモ）します。

■ 節レベルで展開するポイントとはどのようなもので，どう設定するのか？

　令和6年度の問1を使った具体例で説明しましょう。先ほどのルール②およびルール③の内容は次のようになっています。

<"6つのルール"②で設定（調整）した題材>

> **対象業務**：SAの私が勤務するSI事業者の営業業務
> **対象業務の業務特性**：責任者による承認が必要となる
> 　　　　　　　　　　★承認は人手によってしか実現できない
> **対象業務の業務要件**：速やかに処理（顧客に対応）することで受注獲得
> **対象業務の業務プロセス**：引き合い→見積もり→責任者による承認→顧客へ

第6章　内部設計／節ごとの論述ポイントの決定

提案

★責任者による承認に時間を要することがある

ここをRPAツールで自動化

対象業務で扱うデータ：案件内容，提案内容，受注予定金額

関連する情報システム：アクティビティ管理システム

<**"6つのルール"③で作成した章・節立て**>

1．先進技術を適用した業務について

　　1．1．業務の内容

　　1．2．人手によってしか実現できないと考えられていた理由

2．先進技術の適用について

　　2．1．適用した先進技術

　　2．2．先進技術の適用方法

　　2．3．大幅な効率化や自動化が可能と考えた理由

3．先進技術適用にあたっての課題と対策

　　3．1．適用にあたって生じた課題

　　3．2．課題への対策

　これらを前提に問題文の内容から，各節でアピールするポイントを検討していきます。

71

問1　人手によってしか実現できないと考えていた業務への先進技術の適用について

　認識AI，生成AI，RPAツールなどを始めとした先進技術を，クラウドサービスやソフトウェアパッケージなどで容易に利用できるようになってきた。それに伴い，①認識と判断のデジタル化の難しさや費用対効果などの理由からシステム化が困難で人手によってしか実現できないと考えていた業務の，②大幅な効率化や自動化が可能になった。システムアーキテクトは，先進技術を適用した情報システムの構築を推進する必要がある。例えば，次のような業務への適用が考えられる。
・医療機関の画像診断業務において，がん症例画像や正常画像を学習させた認識AIによって，がん疾患の発見を補助する。
・広報部門の社外発表文を作成する業務において，過去の発表文やコンサルタントの指摘内容などを学習させた生成AIに発表の趣旨を与えて発表文案を作成する。
・注文業務において，RPAツールで入力，連携を自動化し，個別入力を排除する。
　一方で，これらの③先進技術を適用する場合，様々な課題が生じることがある。例えば次のような，課題と対策が考えられる。
・画像診断業務を自動化すると，"医師でなければ，医業をなしてはならない"という法律に抵触するおそれがある。そのため，画像診断結果を元の画像上に表示するまでにとどめて，最終的に医師が診断するなど，自動化の範囲を限定する。
・生成AIで学習データにインターネット上の情報を利用すると，偏った内容や誤った内容を回答してしまうおそれがある。そのため，根拠となる情報や参考情報を一緒に提示する。
　あなたの経験と考えに基づいて，設問ア～ウに従って論述せよ。

第6章　内部設計／節ごとの論述ポイントの決定

＜記号①〜③の内容＞

① 「1.2の理由」は，案件は金額が大きい上に，自動化した状況下でなんらかのエラーや障害が起きた場合，責任の所在をはっきりさせることができないと考えられていたことにする。

② 「2.2の理由」は，承認処理のパターン化およびRPAツールでの自動化が可能であり，結果として責任者不在等による待ち時間がなくなることで大幅な効率化実現とする。

③ 「3.1の課題」は，問題文では例示以外に特に制約はないので，用意した題材から，再提出になった場合の迅速な対応の実現にする。「3.2の対策」は，再提出になった場合に責任者へ連絡することと，再提出案件とその理由の共有による再提出案件の発生を抑制するといった内容にする。

　　⬇　以上の内容から，節レベルで展開するポイントを検討・決定します

＜章立て（項目レベル）内部設計例＞

---

1. 先進技術を適用した業務について
　1.1. 業務の内容
　　SI事業者の営業業務　←　題材からそのまま
　　業務特性；責任者による承認が必要となるが承認は人手によってしか実現できない
　1.2. 人手によってしか実現できないと考えられていた理由
　　案件は金額が大きい上に，自動化し状況下でなんらかのエラーや障害が起きた場合，責任の所在をはっきりさせることができないと考えられていたから　←　①から

2. 先進技術の適用について
　2.1. 適用した先進技術
　　RPAツール　←　更新した題材から
　2.2. 先進技術の適用方法
　　RPAツールを責任者の承認処理に適用　←　更新した題材から

>　2．3．大幅な効率化や自動化が可能と考えた理由
>　　　責任者不在等による待ち時間がなくなることで大幅な効率化実現
>　　　↑　②から
>　3．先進技術適用にあたっての課題と対策
>　　3．1．適用にあたって生じた課題
>　　　再提出になった場合の迅速な対応の実現　←　③から
>　　3．2．課題への対策
>　　　再提出になった場合に責任者への連絡
>　　　再提出案件とその理由の共有による再提出案件の発生の抑制
>　　　↑　③から

　網掛け箇所が，節レベルで展開するポイントです。もちろん，これらの内容は，自分の頭の中から出してくるわけですが，難しく考える必要はありません。展開的にテーマと要求に合ったものにすることだけを考えて検討・決定します。内容はフィクションで作ると決めているわけですから，自由度は高いです。

■ 試しにやってみましょう

　さて，この作業についても，実際に手を動かしてやってみましょう。令和6年度問2を使って"6つのルール"②および③で作成したもの，そして問題文の内容を考慮して内部設計をしてみましょう。

＜題材の調整例＞

> **対象業務**：SAの私が勤務するSI事業者の営業（受注）業務と会計処理（売上集計）
> **対象業務の業務特性**：月末，4半期末，年度末などに入力処理集中
> **対象業務の業務要件**：受注（営業）当月の受注金額をもれなく実績として反映させる

第6章　内部設計／節ごとの論述ポイントの決定

> **対象業務の業務プロセス**：受注活動→システムへの入力→会計処理で当月実
> 　　　　　　　　　　　　　績（売上）に反映
> **対象業務で扱うデータ**：受注データ（受注金額，担当営業，責任者）
> **関連する情報システム**：アクティビティ管理システム
> **その他の関連システム**：会計処理（売上）システム

＜章立て（外部設計）例＞

> 1．バッチ処理の設計について
> 　1．1．対象とする業務の概要
> 　1．2．情報システムの概要
> 　1．3．業務上の特性や制約
> 2．バッチ処理における課題と解決について
> 　2．1．バッチ処理における課題
> 　2．2．課題解決のための設計（工夫）
> 3．エラーが発生しても処理を継続させるための仕組み
> 　3．1．エラーが発生しても処理を継続させるために設計した仕組み
> 　3．2．設計した理由

　これらを前提に問題文の内容から，各節でアピールするポイントを検討していきます。

問2　バッチ処理の設計について

　業務処理において，一定のリソースの下で大量データを効率的に処理するためにバッチ処理を選択することがある。バッチ処理では，大量データを処理すると処理時間が長い，オンライン処理との並行実施が必要，など様々な課題が生じる。システムアーキテクトには，業務上の特性や制約に基づいて課題を解決することが求められる。
　課題を解決するために，例えば次のように，バッチ処理の設計を工夫する。
・売上データの取込件数が多いので後続の締め処理に間に合わなくなる，という課題に対して，インメモリデータ処理やオフラインバッチ処理などの処理方式を選択してスループットを上げる。
・現在のリソースではピークの日に全ての取引を処理しきれない可能性がある，という課題に対して，1日の処理件数の上限を設け，業務上優先度が高い取引から処理し，上限を超過した取引を翌日の処理に持ち越すようにする。
・画面で入力しているデータをバッチ処理が同時に更新しようとするとデータの競合が生じる可能性がある，という課題に対して，画面で入力したデータを一時保存し，バッチ処理終了後に非同期でデータベースに反映する。
　また，エラーが発生しても処理を継続させる仕組みを組み込んでおくことも重要である。例えば，給与振込データ作成時に後続処理に影響を与えないために，エラーデータを読み飛ばして後で再処理できるようにする。再処理時には，二重更新させないために，処理済データを読み飛ばして未処理データだけ処理するようにする。
　あなたの経験と考えに基づいて，設問ア〜ウに従って論述せよ。

⬇　以上の内容から，節レベルで展開するポイントを検討・決定してみましょう。

第6章　内部設計／節ごとの論述ポイントの決定

やってみましょう

1．バッチ処理の設計について

1．1．対象とする業務の概要

業務の概要：

1．2．情報システムの概要

情報システムの概要：

1．3．業務上の特性や制約

業務上の特性や制約：

2．バッチ処理における課題と解決について

2．1．バッチ処理における課題

バッチ処理における課題：

2．2．課題解決のための設計（工夫）

課題解決のための設計（工夫）：

３．エラーが発生しても処理を継続させるための仕組み

　３．１．エラーが発生しても処理を継続させるために設計した仕組み

エラーが発生しても処理を継続させるために設計した仕組み：

　３．２．設計した理由

設計した理由：

　すでに説明したように，内容の自由度は高いです。フィクションですから，ストーリーとして書けそうなポイントを頭の中から引っ張り出してみましょう。
　作業例を以下に示します。

第6章　内部設計／節ごとの論述ポイントの決定

＜問題文の内容から，各節でアピールするポイントを検討した例＞

問2　バッチ処理の設計について

　業務処理において，一定のリソースの下で大量データを効率的に処理するためにバッチ処理を選択することがある。バッチ処理では，大量データを処理すると処理時間が長い，オンライン処理との並行実施が必要，など様々な課題が生じる。システムアーキテクトには，①業務上の特性や制約に基づいて課題を解決することが求められる。

　課題を解決するために，例えば次のように，バッチ処理の設計を工夫する。

・売上データの取込件数が多いので後続の締め処理に間に合わなくなる，という課題に対して，インメモリデータ処理やオフラインバッチ処理などの処理方式を選択してスループットを上げる。

・現在のリソースではピークの日に全ての取引を処理しきれない可能性がある，という課題に対して，1日の処理件数の上限を設け，業務上優先度が高い取引から処理し，上限を超過した取引を翌日の処理に持ち越すようにする。

・画面で入力しているデータをバッチ処理が同時に更新しようとするとデータの競合が生じる可能性がある，という課題に対して，画面で入力したデータを一時保存し，②バッチ処理終了後に非同期でデータベースに反映する。

　また，エラーが発生しても処理を継続させる仕組みを組み込んでおくことも重要である。例えば，③給与振込データ作成時に後続処理に影響を与えないために，エラーデータを読み飛ばして後で再処理できるようにする。再処理時には，二重更新させないために，処理済データを読み飛ばして未処理データだけ処理するようにする。

　あなたの経験と考えに基づいて，設問ア～ウに従って論述せよ。

79

<記号①〜③の内容>

① 「1．3の業務上の特性」は，月末の夜中にも受注入力することにする。そして「2．1の課題」との関連で，最終日の夜中に入力される受注データを売上データに反映することにする。

② 「2．2の設計」は，月次バッチ処理後に入力された受注データのみを対象に売上データを更新する設計にする。

③ 「3．1の仕組み」は，売上集計処理を確実に終了させるためエラーデータがあっても後続処理を続行すると同時に責任者・担当者に通知にする内容にする。「3．2の理由」は，必要なデータ反映させる機会を別途設けているからとする。

⬇　以上の内容から，節レベルで展開するポイントを検討・決定した例

<章立て（項目レベル）内部設計例>

1．バッチ処理の設計について
　1．1．対象とする業務の概要
　　業務の概要：対象業務：SAの私が勤務するSI事業者の営業（受注）業務と会計処理（売上集計）　←　題材から
　1．2．情報システムの概要
　　情報システムの概要：アクティビティ管理システムと売上管理システム
　　　★売上管理システムがバッチ処理を含む。
　1．3．業務上の特性や制約
　　業務上の特性や制約：月末の夜中にも受注入力することにする。
　　　　　↑　①から
2．バッチ処理における課題と解決について
　2．1．バッチ処理における課題
　　バッチ処理における課題：最終日の夜中に入力される受注データを売上データに反映すること　←　①から
　2．2．課題解決のための設計（工夫）
　　課題解決のための設計（工夫）：月次バッチ処理後に入力された受注デ

第6章　内部設計／節ごとの論述ポイントの決定

> 　　　ータのみを対象に売上データを更新する設計　←　②から
> 3．エラーが発生しても処理を継続させるための仕組み
> 　3．1．エラーが発生しても処理を継続させるために設計した仕組み
> 　　エラーが発生しても処理を継続させるために設計した仕組み：売上集計
> 　　　処理を確実に終了させるためエラーデータがあっても後続処理を続
> 　　　行すると同時に責任者・担当者に通知にする仕組み　←　③から
> 　3．2．設計した理由
> 　　設計した理由：必要なデータ反映させる機会を別途設けているから
> 　　　　　　↑　③から

　ここまでの作業で内部設計完了です。この内部設計が不正確，不十分だと合格
レベルの答案にすることがとても難しくなります。逆に言えば，ここ（内部設計）
までしっかりできれば，あとは設計に合わせてプログラミング（記述）するだけ
です。**システム開発同様，設計品質がすべてです。**この点を忘れないでく
ださい。

81

第7章

論述答案の書き方④

プログラミング／
ひたすら書く

1. 答案作成工程❹ プログラミング／ひたすら書く

　答案の骨組みができあがりましたので，あとは自分が作成した設計に基づいて，ひたすら書くだけです。
　答案を書く際に注意すべきことは，下記のようなことです。

- 設計に従って書くこと。
- 設問アの品質を高めること。
- 設問イでたくさん書きすぎないこと（設問ウに対応する時間を奪ってしまう）
- 設問イとウでは，ボリュームバランスも考慮すること（どの要素が中心となるか考える）。

　それぞれについて，簡単に説明しておきます。

●設計に従って書くこと
　本書のアプローチは，ウォーターフォールモデルです。要件をもとに作成した詳細設計どおりに作成することが品質の高い答案を一定時間内に仕上げる上で，もっとも重要なポイントになります。具体的に言えば，各節（項を設定した場合は各項）のタイトルどおりの内容で構成するということです。

●設問アの品質を高めること
　設問アに続く設問イ及び設問ウの内容は，設問アで説明する情報システムおよび業務にもとづくものになります。当然，答案の評価には，「答案全体の一貫性」という観点が含まれます。もし，設問アの記述が不十分だと，設問イと設問ウでたっぷり記述したとしても，合格レベルになりません。この点は十分に認識しておきましょう。また，**答案の冒頭部分であるため，設問アの印象が，答案全体の印象を左右します**ので，その意味でも重要です。

第7章　プログラミング／ひたすら書く

　内容面とボリューム面の両面から，十分な説明を行うことを心掛けましょう。

＜内容面で注意すべきこと＞

　「設計に従って書くこと」が実践できれば，まったく問題ないのですが，**設問アでは，「要求されていないこと」を書いてしまうことが起きやすい**です。以下の解答例を確認してください。

▲　＜解答例＞

1	.	1	.	ニ	ー	ズ	の	あ	っ	た	業	務	の	概	要									
	Ａ	社	は	中	堅	の	Ｓ	Ｉ	事	業	者	で	あ	る	。	私	は	Ａ	社	の	情	報	シ	ス
テ	ム	部	に	所	属	す	る	シ	ス	テ	ム	ア	ー	キ	テ	ク	ト	で	あ	る	。	社	内	の
情	報	シ	ス	テ	ム	の	開	発	・	導	入	，	シ	ス	テ	ム	改	善	を	担	当	し	て	い
る	。	Ａ	社	で	は	，	昨	今	の	競	争	環	境	の	激	化	と	い	う	背	景	を	受	け	，
営	業	力	の	強	化	を	経	営	課	題	と	し	て	認	識	し	て	い	た	。	ま	た	，	最
近	の	技	術	動	向	の	変	化	も	踏	ま	え	，	Ｉ	Ｔ	を	活	用	し	た	営	業	業	務
の	精	度	と	ス	ピ	ー	ド	ア	ッ	プ	が	経	営	陣	か	ら	求	め	ら	れ	て	い	た	。
そ	こ	で	，	今	回	営	業	業	務	の	改	善	の	た	め	の	シ	ス	テ	ム	化	を	図	る
こ	と	に	な	っ	た	。	私	は	，	シ	ス	テ	ム	ア	ー	キ	テ	ク	ト	と	し	て	本	件
を	担	当	し	た	。	以	下	そ	の	概	要	を	述	べ	る	。	…	…						

　ざっと読んだだけでも，この内容は，タイトルとは異なることがわかります。「こんな内容を解答するわけがない」と思われるかもしれませんが，現実には少なくありません。余計な記述の典型的な内容としては，「自分の立場や役割」「（業務ではなく）システムやアプリケーションの詳細な機能説明」「システム開発の背景・経緯」の3つです。そもそも要求されていないことを書いてしまうこと自体マイナスなのですが，設問ア全体の記述量は少ないので，「要求されていないことを記述した分，要求されていることの記述が不十分になる」傾向にあります。**「要求されたことだけ記述する」**ことを設問アから徹底しましょう。

85

＜ボリューム面で注意すべきこと＞

設問アでは，記述量に関して，「800字以内で」という上限のみの指示になります。設問イ，ウと異なり字数に関して下限が設定されていません。しかし，ある程度具体性のある内容で説明しようとした場合，少なくとも400字は超えるはずです。「**設問アは最低400字記述する**」という方針で作成しましょう。

● **設問イでたくさん書きすぎないこと（設問ウに対応する時間を奪ってしまう）**

設問アは答案全体の印象を決めるので，その品質を高めることが大事であるということはすでに説明しましたが，**答案として最後まで記述し，論述として完成させることは必須の要件**になります。演習や公開模試の採点をしていると，「時間切れ」のため，設問ウの記述が途中で終わってしまっている答案が，少なくありません。本書でおすすめするアプローチに従って作成すれば，時間切れになるリスクを抑えることができますが，ひとつ注意しておくことがあります。それが「**設問イで書きすぎないこと**」です。設問イは答案全体の核となる論述になります。字数制限も800字以上1,600字以内ともっとも多くなっています。ここで制限字数の上限近く書いてしまうと，設問ウを記述する時間が不足する可能性が出てきます。要求に合わせて具体的な内容で記述しても1,000字も書けば十分な内容になります。**設問イは，「800字以上で1,000字以内」という目安で作成しましょう。**

最悪，時間不足になった場合，文章は完結させましょう。そこまできっちり記述できていれば，設問ウの制限字数を満たしていなくてもチャンスは残ります。**残り時間には十分に注意を払い，最後の1秒まであきらめないことが大切**です。

第7章　プログラミング／ひたすら書く

▲　＜最後にあきらめてしまった例＞

	ね	ら	い	は	，	現	状	よ	り	負	荷	を	減	ら	す	こ	と	で	，	入	力	そ	の	も
の	の	正	確	さ	を	高	め	て	も	ら	う	こ	と	で	あ	る	。	具	体	的	に	は	，	現
在																								

これでは極めて印象がわるい。

○　＜最後に粘った例＞

	ね	ら	い	は	，	現	状	よ	り	負	荷	を	減	ら	す	こ	と	で	，	入	力	そ	の	も
の	の	正	確	さ	を	高	め	て	も	ら	う	こ	と	で	あ	る	。	具	体	的	に	は	，	現
在	必	須	入	力	項	目	と	な	っ	て	い	る	も	の	の	中	で	不	要	な	項	目	を	削
除	し	た	。																					
																						以	上

数秒あれば論述を完結できる。

●**設問イとウでは，ボリュームバランスも考慮すること**（どの要素が
中心となるのか考える）

　設問イとウでは，設問アに比べ記述量が多くなります。また，ほとんどの場合，
複数の要素を記述することになりますので，節を設定することになります。それ
ぞれの節では設計に合わせるかたちで記述していくことになりますが，**各節の
ボリュームバランスも重要**になります。時間的なプレッシャーがかかる上，
何しろ初めて作成するわけですので，それなりに注意を払うことが得策です。例
えば，２つの要素があったとすると，「どちらが中心的な要素なのか？」を踏ま
えた記述を行うことが重要です。具体例で確認しておきます。

例）令和6年度　問1

> **設問ウ**　設問アで述べた業務に先進技術を適用した際に，どのような課題が生じ，どのような対策を取ったのか。600字以上1,200字以内で具体的に述べよ。

　この設問文から，解答は要求前半の「課題」よりも，要求後半の「課題への対応」が中心的な要素であることが読み取れると思います。具体的な解答例で確認してみれば，わかります。

```
3．先進技術適用にあたっての課題と対策
3．1．適用にあたって生じた課題
　先進技術を適用する場合，さまざまな課題が生じることがある。今回の営業業務の提案案件の承認処理へのRPAツールの適用にあたっても課題が生じた。以下で具体的に説明する。
　今回のRPAツールのスクリプトでは，承認，条件付き承認，再提出の3つの結果を用意していた。これらの基準は従来通りである。このうち承認及び条件付き承認になった場合，提案が可能になる。一方再提出の場合，その結果とクリアしなかった要件がメッセージとして営業担当者に伝わる。しかし，そのメッセージだけでは，どこをどう修正すると承認の要件を満たすのか特定できない上，修正内容について責任者に直接確認する必要が出てしまう。そうなってしまった場合，結果的に人手(責任者とのコミュニケーション)を介すことになってしまい期待したほどの効果が出ないことになってしまう。そのため，再提出の場合の案件処理が課題となった。
3．2．課題への対応
　システム面での対応としては，「再提出」の案件が発生した場合，該当する責任者に自動的にメッセージが送
```

第7章 プログラミング／ひたすら書く

ら	れ	る	よ	う	に	し	た	。	業	務	処	理	ル	ー	ル	面	で	は	，	条	件	付	き	承
認	及	び	再	提	出	に	な	っ	た	案	件	に	つ	い	て	，	条	件	付	き	に	な	っ	た
理	由	，	再	提	出	に	な	っ	た	理	由	を	営	業	部	門	と	し	て	共	有	す	る	こ
と	を	ル	ー	ル	化	し	た	。																
																							以	上

600字は超えていますから，字数の制約は満たしていますが，明らかにバランスが悪く，「課題への対応」が，貧弱な印象になることがわかります。

もちろん，それぞれ十分に記述できれば全く問題はありません。しかし，残り時間が十分にないといった事態も想定されますから，この例であれば，「前半はほどほどにして，後半をしっかり記述する」イメージを持っていると安定します。

とにかく**答案のバランスはくずれやすいものです**。あなたの場合は，カスタマイズ可能な答案内容を準備し，策定手順もスッキリしていますから事故は起きにくいわけですが、それでも起きる可能性は否定できません。

何しろ試験ですし，2時間も連続して集中し，手書きでたくさん文章を書く機会は珍しいことです。結果どうなるか？

「書けることや思いついたことをたくさん書いてしまう」。

文章を書いている間にいろいろ浮かんでくるものです。それは必ずしも悪いことではないですが，「あくまで設計に沿った内容であること」が**最優先**です。

設計はしっかりメモ！
↓
あとは，それに従って後戻りせず作成するだけ。

■ "不合格にならない"答案の書き方

答案を書き始めるにあたり,"6つのルール"⑤を適用します。

ルール❺　各節の内容を論述する際には,その節のタイトルを主語にした文章を含める

簡単なルールですが,"不合格にならない"答案にするために,とても効果があります。要求に合った内容であることを,もっともわかりやすく示すことができるからです。

日頃業務やプライベートで文章を書く機会があまりない（ほとんどない）という場合は,最優先ルールにしましょう。

●節のタイトルを主語にした文章ってどのようなものか？　それはどう作るのか？

これについても,具体例で説明します。まず,次の解答例を確認してみてください。

○　＜令和6年度　問2の例＞

1	.	1	.	対	象	と	す	る	業	務	の	概	要										
	対	象	と	す	る	業	務	は	,	受	注	業	務	及	び	そ	の	会	計	処	理	業	務	で
あ	る	。	当	社	は	,	S	I	事	業	を	中	核	事	業	と	し	て	い	る	。	顧	客	か
ら	の	受	注	は	個	々	の	担	当	者	が	受	注	確	定	時	に	入	力	し	,	月	次	で
集	計	（	会	計	処	理	）	さ	れ	る	。	具	体	的	に	は	,	月	末	の	最	終	営	業
日	の	22	:	00	か	ら	一	連	の	バ	ッ	チ	処	理	の	中	で	売	上	デ	ー	タ	の	集
計	処	理	が	行	わ	れ	て	い	る	。	受	注	業	務	は	営	業	部	,	会	計	処	理	業
務	は	経	理	部	の	管	轄	で	あ	る	。													

節のタイトルである「対象とする業務」を主語とした文章でスタートしているので,採点者にとって,読みやすく,わかりやすくなっています。参考までに次

第7章　プログラミング／ひたすら書く

の例を読んでみてください。このような内容は「対象とする業務について説明しようとしているのか（＝設問要求に合わせて論述しようとしているのか）」疑問を抱かせてしまいます。

▲　＜残念な例　ルール⑤を適用していない例＞

	当	社	は	，		Ｓ	Ｉ	事	業	を	中	核	事	業	と	し	て	い	る	。		今	回	の	対	象
シ	ス	テ	ム	は	，		受	注	業	務	を	サ	ポ	ー	ト	す	る	の	は	ア	ク	テ	ィ	ビ	テ
ィ	管	理	シ	ス	テ	ム	，		会	計	処	理	を	行	う	の	は	売	上	管	理	シ	ス	テ	ム
で	あ	る	。		顧	客	か	ら	の	受	注	は	個	々	の	担	当	者	が	受	注	確	定	時	に
ア	ク	テ	ィ	ビ	テ	ィ	管	理	シ	ス	テ	ム	に	入	力	し	，		月	次	で	売	上	管	理
シ	ス	テ	ム	で	集	計	さ	れ	る	。															

　「採点者が読みやすい答案を作成すること」は，とても大事です。評価は採点者が読み取った内容に基づいて行われますから，読み取ってもらえないとそれだけ不合格になるリスクが大きくなります。

■ 試験答案としての基本的な約束事

　「主語」についてのルールが出てきたところで，第2章で紹介した「試験答案としての基本的な約束事」を思い出してください。午後Ⅱ試験では"文章表現力"も評価項目に含まれています。基本的なことができていないと，単に採点者の印象が悪いというだけでなく，直接的に評価にも悪影響を及ぼしてしまいます。

＜午後Ⅱ論述にあたっての基本事項＞
- 一つの文は極力短く
- 「主語」と「述部」を正確に対応させる
- 「私は」で始まる文章は極力使用しない
- 「である調」で統一する

●一つの文は極力短く

　制限時間がある上，文章を書く機会が少ないと，答案（マス目）をついつい埋めたくなり，文章をつなぎたくなります。結果，一文が長くなりやすいです。実際は，逆で，文章を短く切ったほうが，ボリュームは稼ぎやすいので，ぜひ"一つの文は短く！"を徹底するようにしましょう。

▲　＜残念な例　文が長い例＞

弊	社	は	Ｓ	Ｉ	案	件	を	幅	広	く	受	注	し	て	い	る	Ｓ	Ｉ	事	業	で	あ	り，
営	業	活	動	に	お	い	て	は	引	き	合	い	が	増	加	し	て	き	て	お	り，	そ	の
た	め，	営	業	担	当	者	は	複	数	案	件	を	同	時	に	抱	え	る	ケ	ー	ス	が	増
加	し	て	い	る。																			

○　＜短い文の例＞

	対	象	は，	Ｓ	Ｉ	事	業	者	で	あ	る	弊	社	の	営	業	業	務	で	あ	る。	弊
社	で	は，	Ｓ	Ｉ	案	件	を	幅	広	く	受	注	し	て	お	り，	営	業	活	動	に	お
け	る	引	き	合	い	が	増	加	し	て	い	る。	そ	れ	に	伴	い，	営	業	担	当	者
は	複	数	案	件	を	同	時	に	抱	え	る	ケ	ー	ス	が	増	え	て	い	る。			

＜文が長い例＞では，結局対象となる業務を明示的に説明できていませんし，全体的にわかりにくい印象を受けると思います。また，＜短い文の例＞のほうが，ボリュームが多くなっている点も確認できます。

☆練習問題

実際に，短い文を書く練習をしておきましょう。次の解答例を複数の短い文で再編集してみてください。

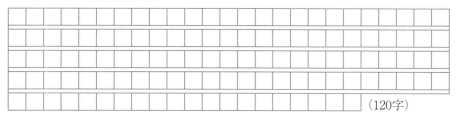

※　解答例は，P.97にあります。

● 「主語」と「述部」を正確に対応させる

これは"一つの文は短く！"を実践できれば，実行しやすいです。文が長くなればなるほど，書いているほうもわからなくなってしまいやすいですから。ただ，一文が短くても主語と述部が一致しないケースは多々あります。

せっかく"6つのルール"⑤を適用して適切な主語で節を書き始めたのに，述部が対応していないと印象が悪くなります。

▲ ＜残念な例　主語と述部が対応していない例＞

|業務上のニーズは，営業業務のプロセスを抜本的に改|
|革し，よりリアルタイムに近い状況の把握と，部門内で|
|の共有化の促進を図ることになった。|

> 主語と述部が対応していないので，違和感があると思います。

○ ＜主語と述部を対応させた例＞

|業務上のニーズは，①よりリアルタイムに近い営業情|
|報の把握，②営業情報の部門内での共有化の促進，の2|
|つであった。|

2つを比べてみれば，後者のほうがずっとわかりやすいことは明らかです。

☆練習問題

　主語と述部を対応させる練習もしておきましょう。次の解答例を修正してみてください。

＜解答例＞

|今回ニーズがあった業務は，顧客から引き合いを起点|
|に，顧客への訪問，要望確認，見積もりの作成，提案と|
|いった受注確定までの営業業務をカバーするシステムで|
|ある。|

✎ 主語と述部を対応させるかたちで再編集 ✎

（80字）

※　解答例は，P.97にあります。

第7章　プログラミング／ひたすら書く

● 「私は」で始まる文章は極力使用しない

　採点者にわかりやすい文章にするためには，主語はとても重要です。設問イと設問ウでは，あなたが"SAの私"として実施した内容を記述することが求められます。その記述にあたって「私は◎◎した。そして，私は□□した。さらに，私は★★した。・・・」と連発すると，印象が悪くなります。次の例で実感できると思います。

▲ ＜残念な例　"私"を連発する例＞

	私	は	，	業	務	部	門	の	ニ	ー	ズ	を	把	握	・	収	集	し	た	。	私	は	，	ニ
ー	ズ	の	把	握	・	収	集	に	あ	た	っ	て	，	で	き	る	だ	け	社	歴	や	担	当	業
務	に	偏	り	が	出	な	い	よ	う	，	幅	広	い	層	か	ら	収	集	す	る	こ	と	を	心
掛	け	た	。	そ	こ	で	，	私	は	，	部	門	長	に	相	談	し	た	。					

○ ＜"私"の連発を回避した例＞

	業	務	部	門	の	ニ	ー	ズ	収	集	に	お	け	る	工	夫	は	，	で	き	る	だ	け	広
範	囲	の	層	か	ら	収	集	し	た	こ	と	で	あ	る	。	具	体	的	に	は	，	社	歴	(経
験	年	数	)	や	担	当	業	務	に	偏	り	が	出	な	い	よ	う	，	ヒ	ア	リ	ン	グ	の
メ	ン	バ	ー	の	選	定	に	あ	た	っ	て	は	，	部	門	長	と	事	前	に	打	ち	合	わ
せ	の	場	を	持	っ	た	。																	

☆練習問題

「私は」の連発をしないようになるための練習もしておきましょう。次の解答例をできるだけ「私は」を使用せずに再編集してみてください。

<解答例>

私	は	，	「	担	当	者	に	い	か	に	タ	イ	ム	リ	ー	か	つ	正	確	に	状	況	を
入	力	し	て	も	ら	う	か	」	を	検	討	し	た	。	そ	の	た	め	私	は	，	改	め	て
担	当	者	に	ヒ	ア	リ	ン	グ	を	行	っ	た	。	「	作	業	項	目	ご	と	の	必	須	入
力	項	目	が	多	す	ぎ	る	」	と	い	う	こ	と	で	あ	っ	た	の	で	，	私	は	，	入
力	負	担	を	現	状	よ	り	も	減	ら	す	工	夫	を	検	討	し	た	。

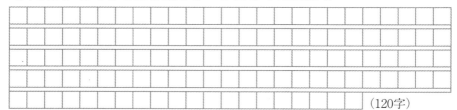

「私は」をできるだけ使わないかたちで再編集

（120字）

※　解答例は，P.97にあります。

● 「である調」で統一する

　「です・ます」調で不合格になるということではありませんが，午後Ⅱの論述試験は「です・ます」調で統一しにくい内容です。演習や模試などにおいて，設問アの途中まで「です・ます」調で書かれているのに，設問イからは「である」調が混じってくる…というような，文体が不統一になってしまった答案が時折見受けられます。それだけで不合格になることはもちろんありませんが，印象を悪くすることはできるだけ避けましょう。

　上記の他には，解答欄の欄外（マス目ではないところ）に記述しないこと，設問ごとの記述箇所を間違えないことに気をつけましょう。

第7章　プログラミング／ひたすら書く

＜短い文で再編集（例）＞（P. 93）

	営	業	部	の	ニ	ー	ズ	の	分	析	に	あ	た	っ	て	は	，	次	の	よ	う	な	考	え
を	も	と	に	進	め	た	。	ま	ず	，	提	供	し	て	意	味	が	あ	る	情	報	に	す	る
に	は	〝	提	供	情	報	の	正	確	さ	〟	が	最	も	重	要	な	要	件	と	判	断	し	た。
そ	の	た	め	，	情	報	を	入	力	す	る	側	の	事	情	や	ニ	ー	ズ	の	把	握	・	分
析	が	必	須	と	考	え	た	。											

> 短い文にすると，記述量も増やせることが体験できたと思います。

＜主語と述部を対応させるかたちで再編集（例１）＞（P. 94）

	今	回	ニ	ー	ズ	が	あ	っ	た	業	務	は	，	顧	客	か	ら	引	き	合	い	を	起	点
に	，	顧	客	へ	の	訪	問	，	要	望	確	認	，	見	積	も	り	の	作	成	，	提	案	と
い	っ	た	受	注	確	定	ま	で	の	一	連	の	営	業	業	務	で	あ	る	。			

> 「業務は……業務である」とやや冗長な文章になりますが，わかりやすいですから問題ありません。これが気になるようであれば，（例２）のように編集することもできます。

＜主語と述部を対応させるかたちで再編集（例２）＞（P. 96）

	今	回	ニ	ー	ズ	が	あ	っ	た	の	は	，	顧	客	か	ら	引	き	合	い	を	起	点	に，
顧	客	へ	の	訪	問	，	要	望	確	認	，	見	積	も	り	の	作	成	，	提	案	と	い	っ
た	受	注	確	定	ま	で	の	一	連	の	営	業	業	務	で	あ	る	。				

＜「私は」をできるだけ使わないかたちで再編集（例）＞

	検	討	し	た	の	は	，	「	担	当	者	に	い	か	に	タ	イ	ム	リ	ー	か	つ	正	確
に	状	況	を	入	力	し	て	も	ら	う	か	」	で	あ	る	。	そ	の	た	め	，	改	め	て
担	当	者	に	ヒ	ア	リ	ン	グ	を	行	っ	た	。	そ	の	結	果	「	作	業	項	目	ご	と
の	必	須	入	力	項	目	が	多	す	ぎ	る	」	と	い	う	こ	と	で	あ	っ	た	の	で，
入	力	負	担	を	現	状	よ	り	も	減	ら	す	工	夫	を	検	討	し	た	。			

■ "具体性"は採点の必須ポイント

　午後Ⅱ試験の"文章作法"を紹介したところで，次は採点の重要なポイントとなる"具体性"をどのように文章でアピールするかについて説明します。第3章で紹介した「モジュール」が（イメージとしては）加点を狙う文章表現だとすると，"具体性"はないと減点・不合格になるレベルの必須要素です。ここでは"6つのルール"⑥を適用します。

ルール❻　実施したことを書く際には，具体性ルーチンを使用する

　設問イと設問ウでは，ほとんどの場合，「具体的に述べよ」という指示があります。また，すでに第1章「SA午後Ⅱ試験はこんな試験です」で確認したように，**明確な「具体性」は，体験に基づくもの＝一般論ではないということのアピールになります。**

　設問イとウでは，設問アで概要を説明した業務やシステムについて「何をどのように実施したか」の論述が求められます。答案の中心となる部分です。当然，そこで具体性をアピールしたいわけです。そのために守りたいのがこのルールです。

●具体性ルーチンとはどのようなものか？

　具体性ルーチンとは，文字通り，解答内容に具体性を追加するための仕掛けです。おもなものは次の2つです。プログラム風にif then形式で表現しています。

【具体性ルーチン】

```
If　実施したことをアピールしたいなら
            then　例えば・・・と具体例を加える。
If　実施した結果をアピールしたいなら
            then　数値表現を使用する。
```

第7章　プログラミング／ひたすら書く

　それぞれについて説明しましょう。以下の説明は，「ニーズをどのように分析
したか」の記述例です。

▲　＜残念な例　具体的な内容を示していない例＞

提	供	す	べ	き	情	報	の	特	定	に	あ	た	っ	て	は	，	利	用	者	部	門	の	キ
ー	パ	ー	ソ	ン	に	ヒ	ア	リ	ン	グ	を	行	っ	た	。	ま	た	，	…	…			

○　＜例えば…と具体例を加えた例＞

提	供	す	べ	き	情	報	の	特	定	に	あ	た	っ	て	は	，	利	用	者	部	門	の	キ
ー	パ	ー	ソ	ン	に	ヒ	ア	リ	ン	グ	を	行	っ	た	。	例	え	ば	，	営	業	部	門	に
対	し	て	は	，	業	務	に	精	通	し	た	中	堅	ク	ラ	ス	2	名	と	，	入	社	2	年
目	の	若	手	2	名	の	合	計	4	名	を	営	業	部	長	に	選	抜	し	て	も	ら	い	，
都	合	3	回	実	施	し	た	。																

　できれば，設問イ，ウの解答に具体例は1つずつ入れておきたい。
これがもっとも簡単な具体性のアピールです。もし，内容や文章表現的にいきな
り具体例につなぎにくい，浮かばない，といった場合は，「具体的には，…」と
明示的な記述を加え，「ここから具体的な内容を説明しますよ。」とわかりやすく
示します。具体例で確認してみましょう。

○　＜具体的には…と加えた例＞

提	供	す	べ	き	情	報	の	特	定	に	あ	た	っ	て	は	，	利	用	者	部	門	の	キ
ー	パ	ー	ソ	ン	に	ヒ	ア	リ	ン	グ	を	行	っ	た	。	具	体	的	に	は	，	今	回	メ
イ	ン	と	な	る	利	用	部	門	で	あ	る	営	業	部	部	長	に	業	務	に	精	通	し	て
い	る	担	当	者	2	名	の	選	抜	と	協	力	要	請	を	行	っ	て	も	ら	い	，	都	合
3	回	ヒ	ア	リ	ン	グ	を	実	施	し	た	。												

　あらためて，具体的には…，例えば…以降の内容を確認してみてください。そ
れほど具体性があるわけではありません。何についてどのようにヒアリングを行
ったのかについてはまったく触れていません。それでも，最初の例に比べると「確

99

かに具体性はある」という印象になると思います。それが狙いであり，効果です。

● "具体" は "特殊" ではありません

具体性は高いのに答案内容として評価されない場合があります。それは，内容的に「個別的，特殊的過ぎてしまった場合」です。

次の例を確認してみてください。

営	業	部	の	Y	氏	に	ヒ	ア	リ	ン	グ	を	行	っ	た	。	Y	氏	は	，	入	社	16
年	目	で	営	業	畑	一	筋	で	あ	っ	た	。	業	務	に	精	通	し	て	お	り	ヒ	ア	リ
ン	グ	対	象	と	し	て	は	最	適	な	人	材	で	あ	っ	た	が	，	今	回	の	シ	ス	テ
ム	化	に	は	後	ろ	向	き	で	あ	っ	た	た	め	，	ヒ	ア	リ	ン	グ	の	実	施	に	も
非	協	力	的	で	あ	っ	た	。	そ	こ	で	私	は	，	Y	氏	と	飲	み	に	行	き	，	コ
ミ	ュ	ニ	ケ	ー	シ	ョ	ン	を	取	り	，	な	ん	と	か	ヒ	ア	リ	ン	グ	を	行	っ	た	。

印象はどうでしょう？　内容的には実際ありそうな話ですが，ただ書けることを書いたという印象になりますね。なぜここまで具体的に説明する必要があるのかさっぱりわからない内容です。**どのようなテーマであれ，特定の個人の事情やその人とのやりとりが論述の中心的な内容として求められることはありません。**

● 目標やねらい，実施した結果をアピールしたいなら，数値表現を使用する

数値表現を，うまく使うと具体性のアピールと同時に客観性のアピールにもなります。特に，目標やねらい，実施状況や結果を説明する場合に効果を発揮します。前者（目標やねらい）は設問ア，後者（実施状況や結果）は，設問ウで記述することが多いです。第3章で紹介した "評価" モジュールの例も数値表現をうまく使って「定量的な評価基準」であることをアピールしたものです。

▲　＜残念な例　数値を使っていない例＞

| 実 | 施 | 状 | 況 | と | し | て | は | 大 | き | な | ト | ラ | ブ | ル | も | な | く | ， | 大 | き | な | 成 | 果 |
| が | 得 | ら | れ | た | 。 |

△ ＜いまひとつな例　数値を使った例＞

| 実 | 施 | 状 | 況 | は | ， | 年 | 間 | 費 | 用 | が | 10 | ％ | 程 | 度 | 低 | 下 | す | る | 見 | 込 | み | で | あ |
| り | ， | 十 | 分 | に | 評 | 価 | で | き | る | 。 | | | | | | | | | | | | | |

> 数値を使った例では，「大きな成果」が「年間費用が10％程度低下」と具体化された点では改善されています。しかし，10％程度低下が十分なのかどうかを読み取ることができません。これでは「年間費用の面で十分な効果があった」と印象としてはあまり変わりません。せっかく数値を使うのであれば，"うまく使う"ようにしましょう。次の例を確認してください。

○ ＜うまく使った例＞　比較対象もきちんと示した場合

実	施	状	況	は	，	前	年	の	年	間	費	用	は	約	2	億	円	に	対	し	，	現	在
の	予	測	値	は	約	1	.	8	億	円	と	10	％	程	度	低	下	す	る	見	込	み	で	あ	る	。
こ	れ	は	当	初	の	目	標	値	を	上	回	る	成	果	で	あ	り	，	十	分	に	評	価	で
き	る	も	の	と	考	え	て	い	る	。													

　念のための確認ですが，**もちろん数値も"フィクション"でかまいません**。

自分の答案作成プログラムに午後Ⅱ論述用パッチを当てる。

☆具体性ルーチンのテスト

　具体性ルーチンは，答案の具体性をアピールする上で大変重要なルーチンですので，テストしておきましょう。内容は"フィクション"ですので，なんでもアリです。

<具体例を加えるルーチンのテスト>
　次の実施内容に具体例を加える。
アピールしたい実施内容
|　|業|務|上|の|要|件|は|で|き|る|だ|け|正|確|に|固|め|る|工|夫|を|し|た|。|

🖊 具体例を加える ✏

				（80字）

<具体例を加えた解答例>
	業	務	上	の	要	件	は	で	き	る	だ	け	正	確	に	固	め	る	工	夫	を	し	た	。
例	え	ば	，	要	件	の	確	認	・	修	正	は	必	ず	文	書	で	利	用	部	門	の	責	任
者	経	由	で	行	う	よ	う	に	し	た	。

<数値表現を加えるルーチンのテスト>
　次の実施結果に数値表現を使用する
アピールしたい実施結果
|　|こ|の|工|夫|に|よ|り|レ|ス|ポ|ン|ス|タ|イ|ム|は|大|幅|に|改|善|し|た|。|

🖊 具体例を加える ✏

				（80字）

第7章　プログラミング／ひたすら書く

＜数値表現を使用した解答例＞

	こ	の	工	夫	に	よ	り	レ	ス	ポ	ン	ス	タ	イ	ム	は	，	改	善	前	の	平	均	3.
6	秒	か	ら	平	均	1.	9	秒	と	50	％	近	く	改	善	し	，	利	用	部	門	の	要	求
で	あ	る	2	秒	未	満	を	達	成	し	た	。												

2. リハーサルをしてみましょう

　ここまで確認・理解した内容をより確実に試験本番の場で実践できるようにするために，少なくとも一度は，以下の作業を行ってみましょう。
　題材としては，本試験問題を使いましょう。何年度のものでもかまいませんが，巻末に解答例がある令和5年度がよいかと思います。

1）一連の工程（プロセス）を書き出してみる
　問題を選択し，章立て作成（外部設計）を行い，・・・という一連の工程を書き出してみましょう。声に出して説明するだけでもよいです。

2）実際の問題をひとつ選び，ルール④「節レベルでアピールするポイントを決める（内部設計）」までやってみる。
　答案の設計をメモするところまでです。ここまでの作業は，急ぐところではありません。何度も言うようですが，答案の品質は設計でほとんど決まります，本書のアプローチは，「後戻りしない」ウォーターフォールモデル型ですから，設計さえしっかりできれば，後の作業が楽になります。

3）実際に答案を作成する　☆答案用紙はダウンロード可能です。
　もし，120分間で答案を作成するイメージがわかない，実際書けるかどうか不安，という場合は，実際に書いてみましょう。このような場合，実際に書いてみるしか対策はありませんから。

システムの移行同様，
一度はリハーサルをしましょう。

付録

・合格できる答案例

合格できる答案例　令和6年度　問1

問題文

問1　人手によってしか実現できないと考えていた業務への先進技術の適用について

　認識AI、生成AI、PRAツールなどを始めとした先進技術を、クラウドサービスやソフトウェアパッケージなどで容易に利用できるようになってきた。それに伴い、認識と判断のデジタル化の難しさや費用対効果などの理由からシステム化が困難で人手によってしか実現できないと考えていた業務の、大幅な効率化や自動化が可能になった。システムアーキテクトは、先進技術を適用した情報システムの構築を推進する必要がある。例えば、次のような業務への適用が考えられる。

- 医療機関の画像診断業務において、がん症例画像や正常画像を学習させた認識AIによって、がん疾患の発見を補助する。
- 広報部門の社外発表文を作成する業務において、過去の発表文やコンサルタントの指摘内容などを学習させた生成AIに発表の趣旨を与えて発表文案を作成する。
- 注文業務において、RPAツールで入力、連携を自動化し、個別入力を排除する。

　一方で、これらの先進技術を適用する場合、様々な課題が生じることがある。例えば次のような、課題と対策が考えられる

- 画像診断業務を自動化すると、"医師でなければ、医業をなしてはならない"という法律に抵触するおそれがある。そのため、画像診断結果を元の画像上に表示するまでにとどめて、最終的に医師が診断するなど、自動化の範囲を限定する。
- 生成AIで学習データにインターネット上の情報を利用すると、偏った内容や誤った内容を回答してしまうおそれがある。そのため、根拠となる情報や参考情報を一緒に提示する。

　あなたの経験と考えに基づいて、設問ア〜ウに従って論述せよ。

設問ア　あなたが先進技術を適用した業務について、業務の内容と、その業務が人

付録　合格できる答案例

手によってしか実現できないと考えられた理由を，800字以内で述べよ。

設問イ　設問アで述べた業務に，どのような先進技術をどのように適用したのか。大幅な効率化や自動化が可能と考えた理由を含めて，800字以上1,600字以内で具体的に述べよ。

設問ウ　設問アで述べた業務に先進技術を適用した際に，どのような課題が生じ，どのような対策を取ったのか。600字以上1,200字以内で具体的に述べよ。

解答例

人手によってしか実現できないと考えていた業務への先進技術の適用について

1	.	先	進	技	術	を	適	用	し	た	業	務	に	つ	い	て			
1	.	1	.	業	務	の	内	容											
	対	象	は	,	営	業	業	務	で	あ	る	。	当	社	は	SI	事	業	を	中	核	と	し	運
営	を	行	な	っ	て	お	り	,	ソ	リ	ュ	ー	シ	ョ	ン	提	案	品	質	の	高	さ	に	よ
り	業	界	内	で	優	位	性	を	築	い	て	い	る	。						
	ソ	リ	ュ	ー	シ	ョ	ン	提	案	は	内	容	が	重	要	で	あ	る	が	,	提	案	ま	で
の	期	間	が	決	め	手	に	な	る	こ	と	も	少	な	く	な	い	。	か	な	り	大	き	な
金	額	が	絡	む	た	め	,	顧	客	へ	の	提	案	前	に	責	任	者	に	よ	る	承	認	が
義	務	付	け	ら	れ	て	い	る	。	し	か	し	,	案	件	増	加	に	伴	い	承	認	処	理
に	時	間	を	要	す	る	ケ	ー	ス	が	目	立	つ	よ	う	に	な	っ	て	い	た	。		
	時	間	を	要	す	る	の	は	,	案	件	内	容	の	確	認	で	は	な	く	,	責	任	者
の	承	認	処	理	待	ち	が	要	因	で	あ	っ	た	。	た	と	え	ば	,	水	曜	日	に	申
請	し	金	曜	日	に	顧	客	側	に	提	案	し	よ	う	と	し	て	い	た	案	件	が	営	業
部	長	の	不	在	に	よ	り	金	曜	日	ま	で	に	承	認	処	理	が	行	わ	れ	な	か	っ
た	た	め	提	案	が	翌	週	に	な	っ	て	し	ま	い	,	受	注	に	至	ら	な	か	っ	た
と	い	う	こ	と	が	あ	っ	た	。										
1	.	2	.	人	手	に	よ	っ	て	し	か	実	現	で	き	な	い	と	考	え	ら	れ	て	い
た	理	由																	
	承	認	処	理	は	,	業	務	上	の	責	任	を	伴	う	行	為	で	あ	る	。	単	に	承
認	す	る	・	し	な	い	で	は	な	く	,	内	容	を	確	認	し	た	上	で	行	う	こ	と

107

が要件になる。承認処理をアルゴリズム化することは可能ではあったが，もし処理に不備が出た場合，誰が責任を取るのか？という問題があった。不備としては，本来承認すべき案件が承認されないエラー，逆に承認すべきではない案件が承認されるエラーが考えられた。また，システムで処理を行うため何らかの障害により処理そのものが止まってしまうケースなども懸念されていた。以上の理由から，これで何度か承認のシステム化，自動化の話は出ても実現できない，つまり人手によってしか実現できないと考えれていた。

2．先進技術の適用について
2．1．適用した先進技術
　今回適用した先進技術は，RPAツールである。これを営業担当者の受注活動をサポートするアクティビティ管理システムに組み込み，責任者（営業部長及び関係する管理職）による承認を自動化する。具体的には，アクティビティ管理システムで営業担当者が入力する案件情報，提案内容，受注予定金額などをもとにRPAツールで承認処理を自動化する。これにより責任者（人）がシステム上で承認処理を行わなくなるため，基本的に責任者の事情による承認待ちはなくなる。
2．2．適用の具体的内容
　まず，RPAツールを導入し，承認を行う責任者が確認する情報，情報間の関連，判断基準などをもとに標準的なスクリプトを作成した。その上で実際に承認処理を行う責任者数名にシステム上のテストデータとこちらが用意したスクリプトによる承認処理を行いフィードバックしてもらい，反映していった。

さらに，運用サポート担当者2名を配置することにした。これは継続的な改善と安定的な運用を実現するための措置である。たとえば，スクリプトが途中で止まってしまった場合の早急な対応と原因究明，スクリプト修正処理等のサポートを実現した。

2.3. 大幅な効率化や自動化が可能と考えた理由

　案件のほとんどは内容や金額の違いこそあれ，ほぼ同様のフォーマットであり，承認にあたっての確認内容，判断基準，処理フローも定型的であった。そのためRPAツールにより自動化は十分に可能であると判断した。

　従来懸念されていた判断を誤った場合や遅延した場合のリスクについても，運用サポートが継続的な管理・改善を行うことで低減できると判断した。

　さらにこのツールの活用により，承認待ち時間が短縮されるだけでなく，承認処理を含む受注（提案）業務全体の効率化も期待できると考えた。具体的には，業務プロセス上のボトルネックであった承認が自動化されることで，他のプロセスも効率化するマインドが形成されていた。

　以上の理由から，承認処理の自動化はもちろん受注(提案）業務の大幅な効率化（期間短縮）が実現できると考えた。

3. 先進技術適用にあたっての課題と対策

3.1. 適用にあたって生じた課題

　今回のスクリプトでは，承認，条件付き承認，再提出の3つの結果を用意していた。このうち承認及び条件付き承認になった場合，顧客への提案が可能になる。一方再提出の場合，その結果とクリアしなかった要件がメッ

セージとして営業担当者に伝わる。しかし,そのメッセージだけでは,どこをどう修正すると承認の要件を満たすのか特定できず,責任者に直接確認する必要が出てしまう。これだと結果的に人手を介すことになってしまい期待したほどの効果が出ない。このため,再提出の場合の案件処理が課題となった。

3.2. 課題への対策

再提出になった場合の対応の課題については,システム面と業務処理ルール面の2つから対応策を考えた。これはシステムのみで対応するのは困難であるだけでなく得策ではないと判断したためである。

システム面での対応としては,「再提出」の案件が発生した場合,該当する責任者に自動的にメーセージが送られるようにした。具体的には,担当者名,申請内容,再提出になった理由(クリアしなかった要件)等が知らされ,即座に担当者に連絡することを促すものである。担当者側ではなく,責任者側から連絡するようにしたのは,その後の処理を素早く実行させるためである。

業務処理ルール面としての対応は,条件付き承認及び再提出になった案件について,条件付きになった理由,再提出になった理由を営業部門として共有することをルール化したことである。具体的には,提案案件の月次レポートに条件付き承認及び再提出案件の具体的内容も含め全営業担当者が確認することにした。これにより再提出になる案件そのものを減らすことを狙った。

以上

付録　合格できる答案例

合格できる答案例　令和6年度　問2

問題文

問2　バッチ処理の設計について

　業務処理において，一定のリソースの下で大量データを効率的に処理するためにバッチ処理を選択することがある。バッチ処理では，大量データを処理すると処理時間が長い，オンライン処理との並行実施が必要，など様々な課題が生じる。システムアーキテクトには，業務上の特性や制約に基づいて課題を解決することが求められる。

　課題を解決するために，例えば次のように，バッチ処理の設計を工夫する。

- ・売上データの取込件数が多いので後続の締め処理に間に合わなくなる，という課題に対して，インメモリデータ処理やオフラインバッチ処理などの処理方式を選択してスループットを上げる。
- ・現在のリソースではピークの日に全ての取引を処理しきれない可能性がある，という課題に対して，1日の処理件数の上限を設け，業務上優先度が高い取引から処理し，上限を超過した取引を翌日の処理に持ち越すようにする。
- ・画面で入力しているデータをバッチ処理が同時に更新しようとするとデータの競合が生じる可能性がある，という課題に対して，画面で入力したデータを一時保存し，バッチ処理終了後に非同期でデータベースに反映する。

　また，エラーが発生しても処理を継続させる仕組みを組み込んでおくことも重要である。例えば，給与振込データ作成時に後続処理に影響を与えないために，エラーデータを読み飛ばして後で再処理できるようにする。再処理時には，二重更新させないために，処理済データを読み飛ばして未処理データだけ処理するようにする。

　あなたの経験と考えに基づいて，設問ア〜ウに従って論述せよ。

設問ア　あなたが携わったバッチ処理の設計について，対象とする業務と情報システムの概要，及び業務上の特性や制約について，800字以内で述べよ。

設問イ　設問アで述べたバッチ処理について，どのような課題があったか。その課題を解決するために，どのような設計にしたか。工夫した点を中心に，800

111

字以上1,600字以内で具体的に述べよ。

設問ウ 設問アで述べたバッチ処理で，エラーが発生しても処理を継続させるようにするために，どのような仕組みを組み込んだか。そのように設計した理由とともに，600字以上1,200字以内で具体的に述べよ。

解答例

バッチ処理の設計について

1	.	バ	ッ	チ	処	理	の	設	計	に	つ	い	て							
1	.	1	.	対	象	と	す	る	業	務	の	概	要							
		対	象	と	す	る	業	務	は	，	受	注	業	務	及	び	そ	の	会	計	処	理	業	務	で
あ	る	。	当	社	は	，	Ｓ	Ｉ	事	業	を	中	核	事	業	と	し	て	い	る	。	顧	客	か
ら	の	受	注	は	個	々	の	担	当	者	が	受	注	確	定	時	に	入	力	し	，	月	次	で
集	計	（	会	計	処	理	）	さ	れ	る	。	具	体	的	に	は	，	月	末	の	最	終	営	業
日	の	22	:	00	か	ら	一	連	の	バ	ッ	チ	処	理	の	中	で	売	上	デ	ー	タ	の	集
計	処	理	が	行	わ	れ	て	い	る	。	受	注	業	務	は	営	業	部	，	会	計	処	理	業
務	は	経	理	部	の	管	轄	で	あ	る	。									
1	.	2	.	情	報	シ	ス	テ	ム	の	概	要								
		受	注	業	務	を	サ	ポ	ー	ト	す	る	の	は	ア	ク	テ	ィ	ビ	テ	ィ	管	理	シ
ス	テ	ム	，	会	計	処	理	を	行	う	の	は	売	上	管	理	シ	ス	テ	ム	で	あ	る	。
前	者	は	，	営	業	担	当	者	を	含	む	す	べ	て	の	従	業	員	が	利	用	す	る	シ
ス	テ	ム	で	あ	る	。	名	称	の	通	り	個	々	の	従	業	員	が	ど	の	よ	う	な	作
業	を	何	時	間	行	っ	た	の	か	記	録	し	，	そ	れ	を	管	理	す	る	も	の	で	あ
る	。	営	業	担	当	者	が	担	当	す	る	案	件	に	つ	い	て	は	，	受	注	確	定	ま
で	の	詳	細	な	ス	テ	ー	タ	ス	も	管	理	で	き	る	よ	う	に	な	っ	て	い	る	。
後	者	は	，	独	立	し	た	シ	ス	テ	ム	で	は	な	く	単	な	る	バ	ッ	チ	処	理	の
ア	プ	リ	ケ	ー	シ	ョ	ン	で	あ	る	。	通	常	は	月	次	処	理	（	月	に	一	度	の
実	行	）	で	あ	る	。														
1	.	3	.	業	務	上	の	特	性											
		売	上	集	計	は	月	末	の	夜	間	バ	ッ	チ	で	行	っ	て	い	た	。	ア	ク	テ	ィ

ビティ管理システムと連携しており，バッチ処理の開始直前に当月の受注確定データを抽出し集計する処理を行う。このバッチ処理は月次の最終営業日の22：00にスケジュールされていた。

　集計データは営業担当者のアクティビティ管理への入力データになるが，こちらは24時間アクセスが可能であった。

　受注業務の特性は，月次の販売目標達成に向け，月末ギリギリまで営業を行うことである。このため，確定させた入力が夜遅くに行われることが少なくなかった。

2．バッチ処理における課題と解決について
2．1．バッチ処理における課題
　売上集計のバッチ処理の課題は，当月に確定した受注額をもれなくカバーすることであった。具体的には，最終営業日の22：00以降にアクティビティ管理システムに入力，更新されたデータを取り込めるようにすることであった。売上集計のバッチ処理のタイミングは従来からのものであり，営業担当者もそれを知っていたのでなんとか22：00までに受注確定入力を完了させるようにしていた。しかし，営業部長及び経営陣から，「システム（運用）の都合で業務が制約を受けるのは本末転倒である」という指摘があり，システム側の見直しで対応することになり，バッチ処理での対応課題となった。
2．2．課題解決のための設計（工夫）
　売上集計のバッチ処理の課題解決のために，バッチ開始時刻を22：00から25：00に変更すること，翌月第1営業日にバッチ処理以降に確定したデータや更新されたデータのみを集計するバッチを実行することにした。これ

らの実施により，当月中に受注確定入力されたデータをもれなく月次バッチ処理の対象にすることができる。そして，この設計にあたり以下の工夫を行った。

（1）バッチ処理全体のパフォーマンスを考慮した設計
　月末には売上集計以外にも複数のバッチ処理が実行されていた。今回売上集計のバッチを後ろ倒しすることにしたが，バッチ処理全体を対象に整理する工夫をした。具体的には，すべての処理について，処理内容，前提・制約条件，実行時エラーの対応等を整理し，全体の再配置（スケジューリング）を行った。これにより月次バッチ処理自体の時間短縮とトラブル時のより迅速かつ適切な対応を可能にすることを狙った。

（2）無駄な実行を排除する設計
　今回バッチ処理の実施タイミングを3時間後ろ倒しにし，最終営業日中（24：00まで）に入力されたデータはもれなく処理対象にすることを可能にしたが，さらにそれ以降の土日の入力や不整合データの更新などの反映を可能にするため，翌月第1営業日にそれらのデータのみを集計するバッチを組み込むことにした。この追加処理にあたり，バッチ処理前にアクティビティ管理システムのデータをチェックする処理を組み込み，対象となるデータがないのであればバッチ処理を実行しない工夫を行った。これにより無用なバッチ処理の実行によるトラブルを回避することができる。

3．エラーが発生しても処理を継続させるための仕組み
3．1．エラーが発生しても処理を継続させるために設計した仕組み
　売上集計のバッチ処理中にエラーが発生しバッチ処理

が途中で止まってしまうのを避けるため，処理エラー時にも停止しない処理プログラムを設計した。例えば，受注金額等に不整合を検知した場合，そのデータは反映せず次のデータ処理に進む。それと同時にその売上データを入力した担当者及びその上司に処理がエラーになったことを知らせるメッセージを送る設計にした。

3.2. 設計した理由

上記の設計を行った理由は次の2つである。

（1）修正データを反映させる仕組みがあること

今回のバッチ処理設計では，月次バッチ処理以降入力されたデータが存在した場合，それを反映するために翌月の第1営業日に別バッチ処理を組み込んでいた。そのため，仮に月次バッチで入力データに不整合があるなどのトラブルにより受注金額が反映されなかったとしても，その事実を当事者が認識すれば正しく反映させる機会を提供できているので，修正が生じてもそれを反映させることができると考えた。

（2）集計データの正確性・信頼性を重視する

売上データは，会計データとして正確性・信頼性が重要であることに加え，営業担当者や個々の営業課，営業部門全体，会社全体にとって，パフォーマンスを測定する重要データである。確実に実行し，データが集計されることがジョブとしては重要であるが，そのデータの正確性・信頼性の確保が大前提となる。よって，対象データに少しでも不整合があった場合の確実な対処と確実な処理の完了を両立することが極めて重要と考えた。

以上

合格できる答案例　令和5年度　問1

問題文

問1　デジタルトランスフォーメーションを推進するための情報システムの改善

　近年，企業においては競争優位の獲得や企業自身の存続のために，デジタルトランスフォーメーション（DX）を推進することが増えている。しかし，DXの推進に必要な情報が整備されていないなどの課題が原因で，推進が困難になる場合も多い。そのため，システムアーキテクトは，課題を解決してDXの推進を支援する必要がある。このような課題には例えば，次のようなものがある。

・飲料の製造販売会社で，自動販売機が保有する，販売した日時・場所・商品・電子マネー情報・ポイントカードIDなどのPOS情報が，基幹情報システムに連携されていない。そのため，POS情報を利用したキャンペーンやビジネスができない。
・車載機器製造販売会社で，企業向けと個人向けがそれぞれ別の情報システムになっており，商品コードの体系が企業向けと個人向けで異なる。そのため，企業向け製品を個人向けに展開するビジネスが困難である。

　このような場合，DXの推進のために情報システムを改善する必要がある。例えば，次のような改善が考えられる。

・基幹情報システムにPOS情報を連携して，DXの推進に必要な情報を蓄積する。
・マスター管理システムを追加し，部門別の情報システムと連携させ，データ項目の名寄せや，単位，区分の共通化と統合化を行い，全社や外部との共有を可能にする。

　また，これらの情報システムを改善する際に工夫すべき点が考えられる。例えば，POS情報を利用する場合，購入者の行動履歴を把握しつつ個人を特定できないようにするために情報の一部を匿名化したり，全社や外部とのデータ共有を可能にする場合，業務横断でのデータの活用を推進するためにデータ項目の意味を標準化したりする。

　あなたの経験と考えに基づいて，設問ア〜設問ウに従って論述せよ。

付録　合格できる答案例

設問ア　あなたが携わったDXの推進では，どのような課題があったか。DXの目的と情報システムの概要を含め，800字以内で述べよ。

設問イ　設問アで述べた課題の解決のために，情報システムをどのように改善しようとしたか。解決できると考えた理由を含め，800字以上1,600字以内で具体的に述べよ。

設問ウ　設問イで述べた情報システムの改善において，何のためにどのような工夫を検討したか。600字以上1,200字以内で具体的に述べよ。

解答例

デジタルトランスフォーメーションを推進するための情報システムの改善

1．DX推進の概要

1．1．DXの目的

　対象は，営業業務のDX推進である。当社はSI事業を中核とした運営を行っており，ソリューション提案品質の高さの実現により業界内で優位性を築いてきた。今回の営業業務DX化推進の目的は，「業界内での競争優位性の維持」である。具体的には，提案までの期間短縮による営業力の強化と営業部門全体としての生産性向上により，自社の強みを一層強化することで，優位性の維持を図る。

1．2．情報システムの概要

　今回対象とした情報システムは，次の2つである。

（1）アクティビティ管理システム

　これは営業担当者に限らず全従業員が各自の業務を記録・管理するためのシステムである。具体的には，従業員本人が業務予定およびその実績を登録，更新，管理する。本人以外では，直属の上司が参照可能な設定になっている。

（2）プロジェクト管理システム

　これは受注確定後のプロジェクト案件管理を行うため

117

のシステムである。すべての案件はデータベースに保存されている。ただし，プロジェクトを運営・実施するコンサルタントとシステムエンジニアがユーザーであり，営業担当者にはアクセス権が与えられていなかった。

1.3. DX推進にあたっての課題

　DX化の目的達成の具体的要件は，提案までの期間短縮と営業部門全体の生産性向上である。これらの要件を満たすためには，①案件ごとの管理（引き合いから受注確定まで），②営業担当者とコンサルタントの情報共有，が大前提である。しかし，現状のシステムも含めこれらの要件を満たしていない状況であった。そのため，上記2つの要件を満たすことがそのまま課題となった。

2. DX推進の課題解決に向けての情報システムの改善

2.1. 情報システムの改善

　営業業務のDX推進にあたっての2つの課題の解決に向けて，システム面での改善を検討した。具体的には，次の2つである。

（1）案件ごとの管理機能追加

　受注案件の引き合いから確定までのデータの把握は，受注案件データが記録されているアクティビティ管理システムで可能であった。しかし，このシステムは名前の通り「個々の従業員の活動を管理」するために構築されたものなので，案件ごとにデータを管理する機能がなかった。そこで，受注案件をキーに検索，集計，比較等が容易にできる機能を追加することにした。

（2）プロジェクト管理システムで受注確定前もサポート

　これまで，業務上の必要に応じて営業とコンサルタン

トは協力するが，受注確定までが営業，確定後はコンサルタントという意識があった。また，システムもプロジェクト管理システムは受注確定前を対象にしていなかったし，営業担当者のアクセスを認めていなかった。これでは提案までの期間短縮と営業部門全体の生産性向上という目的達成は困難と考え，改善を図ることにした。具体的には，以下の2点である。①引き合いがあった時点でプロジェクト登録を行いプロジェクトとして管理できるようにする，②営業担当者にも業務上の必要性に応じたアクセス権を与える。例えば，引き合いを担当した者には，そのプロジェクトの更新権限をもつとともに，他のすべてのデータの参照権限を与える，といったことである。

2.2. 課題が解決できると考えた理由

　以下の理由により，課題が解決できる可能性は十分あると判断した。

（1）透明性が増す

　案件ごとに誰でもいつでも必要とする情報を入手し，必要な比較・分析ができるようにすることで，経営陣や管理職だけでなく，すべての従業員の案件への関心が高まることが期待できた。提案までの期間や営業部門の生産性は，結局のところ個々の従業員がその重要性を当事者として認識しない限り変わらない。今回のシステム改善により課題となるデータを生データとしてすべて開示することで透明性を確保することが，課題解決につながると考えた。

（2）コンサルタント側にもメリットをもたらす

　DX化は直接的には営業を対象にしたものであったが，提案までの期間短縮には提案内容を作成・調整するコン

サルタント部門の協力も欠かせなかった。今回のシステム改善により案件の確定前から正確かつタイムリーに更新される情報が得られることになる。これら，その後メインでプロジェクトを運営でするコンサルタント側にとってわかりやすいメリットであった。例えば，これまで営業担当者との会話ベースで入手していた顧客や案件の特徴・経緯がいつでも手軽に参照できるようになる。

3．改善において検討した工夫
3．1．工夫の目的
　システム改善により，機能的には課題を解決できるベースは十分整ったと判断していたが，今回のシステム改善の意図を明確に伝える必要性を認識していた。具体的には，システム改善そのものは目標ではなく，営業業務のDX推進という経営レベルでの方針を具現化するための手段であるという位置づけを明確化すべきと判断した。そこで，改善したシステムの利用とDX推進の結びつきを継続的に印象づけることを目的に工夫を行うことにした。

3．2．検討した工夫
　検討した工夫は次の2つのプッシュ型のコミュニケーション策である。
（1）プロジェクト分析レポートの全従業員への定期的配布
　案件ごとのデータはすべての従業員が参照可能な状態にすることに加え，DX推進の状況（効果）として加工したものを通じて提供する。具体的には，案件ごとの引き合いから確定までの期間，受注金額，プロジェクトの評価（自社，顧客），一定期間内の案件数，受注確定（成

約)件数，成約率，プロジェクト稼働件数，稼働人員(工数)といったデータをシステムを通じて提供することで，関心を継続しやすくする工夫を図る。

（2）プロジェクトの進捗情報の通知機能の追加

営業担当者も受注確定後のプロジェクトデータにはアクセス可能であるが，受注確定後も関心を持続させるための工夫を検討した。具体的には，プロジェクトの進捗のフェースに合わせてメールで担当者に案内する。例えば「担当案件xの要件定義が完了しました。詳細はこちらから確認ください」といった通知を担当営業者に自動的に発信するものである。

以上

合格できる答案例　令和5年度　問2

問題文

問2　利用者と直接の接点がない情報システムのユーザーインタフェースの検討について

　近年，通販サイトやスマートフォンアプリケーションのように，開発者が利用者と直接の接点を持つことが難しい情報システムの開発が増えてきている。
　システムアーキテクトは，このような情報システムの開発に当たり，利用者に直接確認することが困難な状況で要件を取りまとめなければならない。
　特にユーザーインタフェース（以下，UIという）は，要件の確認が困難であるため，情報システムの利用者像を想定することから始める必要がある。利用者像は，利用者の性別や年齢層，スマートフォンやPCなどの利用環境におけるITリテラシーなどから想定することが多い。その上で，利用者に提供する機能を洗い出し，適切と思われるUIを検討する。
　このような検討では，適切なUIを選択する際に課題が発生することも多く，その課題に対応しなければならない。課題には，例えば次のようなものがある。
・想定される利用者が多岐にわたるので，利用ガイドなどの支援機能が決まらない。
・・メニューの階層を浅くする方法と，深くする方法のどちらが利用者に受け入れられるのかが分からない。
　また，このような情報システムの場合，開発やデリバリーのプロセスを自動化し開発サイクルを短期化した上で情報システムを運用しながら改訂していくことを可能にしたり，画面や機能の利用状況をモニタリングする機能を用意し改善点を発見しやすくしたりするなど，UIを継続的に適切化していくための工夫をすることも重要である。
　あなたの経験と考えに基づいて，設問ア〜設問ウに従って論述せよ。

設問ア　あなたが開発に携わった，開発者が利用者と直接の接点を持つことが難しい情報システムについて，開発の目的，対象の業務と情報システムの概要を，

800字以内で述べよ。

設問イ 設問アで述べた情報システムにおけるUIについて，利用者像をどのように想定し，どのようなUIを検討したか。検討で発生した適切なUIを選択する際の課題とその対応策を交え，800字以上1,600字以内で具体的に述べよ。

設問ウ 設問アで述べた情報システムでUIを継続的に適切化していくための工夫について，600字以上1,200字以内で具体的に述べよ。

解答例

利用者と直接の接点がない情報システムのユーザーインタフェースの検討について

1	.	開	発	し	た	情	報	シ	ス	テ	ム	の	概	要												
1	.	1	.	開	発	の	目	的																		
	論	述	対	象	と	な	る	案	件	受	付	相	談	シ	ス	テ	ム	開	発	の	目	的	は	,	
受	注	活	動	の	効	率	化	と	受	注	件	数	の	増	加	で	あ	る	。	こ	れ	ま	で	顧	
客	か	ら	の	引	き	合	い	は	,	基	本	的	に	は	顧	客	側	か	ら	電	話	を	い	た	
だ	き	,	そ	れ	を	起	点	に	弊	社	に	直	接	来	て	い	た	だ	く	か	,	こ	ち	ら	
の	営	業	及	び	コ	ン	サ	ル	タ	ン	ト	が	出	向	く	か	た	ち	で	受	注	活	動	を	
展	開	し	て	い	た	。	今	回	の	開	発	の	目	的	は	,	こ	の	う	ち	の	上	流	部	
分	の	シ	ス	テ	ム	化	に	よ	る	や	り	と	り	の	手	間	の	削	減	と	,	取	り	扱	
い	件	数	増	加	及	び	対	応	品	質	の	向	上	に	よ	る	受	注	件	数	増	加	で	あ	
る	。																								
1	.	2	.	対	象	業	務	の	概	要																
	対	象	業	務	は	,	受	注	業	務	で	あ	る	。	具	体	的	に	は	,	顧	客	か	ら	
電	話	を	受	け	案	件	の	確	認	と	そ	の	後	の	進	め	方	を	調	整	す	る	業	務	,
続	い	て	顧	客	の	要	望	を	ヒ	ア	リ	ン	グ	し	提	案	す	る	業	務	,	最	終	的	
に	受	注	を	確	定	す	る	業	務	ま	で	で	あ	る	。	担	当	部	署	は	,	営	業	部	
及	び	コ	ン	サ	ル	テ	ィ	グ	部	で	あ	る	。												
1	.	3	.	情	報	シ	ス	テ	ム	の	概	要													
	開	発	す	る	シ	ス	テ	ム	の	特	徴	は	,	顧	客	が	直	接	使	用	す	る	点	に	
あ	る	。	受	注	案	件	管	理	は	営	業	部	と	コ	ン	サ	ル	部	（	総	勢	9	0	0	

名）が使用するシステムを使用して行っていたが，今回案件受付相談システムを開発し，連動させる。具体的には案件受付相談システムをwebアプリケーションとして社外に開放し，フロントシステムとして位置付け稼働させる。顧客は当システムを通じて，システム化の要望・相談，問い合わせはもちろん，打ち合わせのスケジューリングやステータスの確認も行うことができる。

2．情報システムのUIについて

2．1．想定した利用者像

　想定した利用者は，顧客側のさまざまなポジションの人たちである。SI案件の問い合わせは，①責任者本人，②責任部門のキーパーソン，③責任者の秘書，④IT関連部門の責任者，⑤IT関連部門のキーパーソン，⑥IT関連部門の秘書，とポジションも部署も業務やシステムに関する理解度やアプリケーション利用のスキルレベルもまちまちであることが想定された。もちろん，当社側の営業部及びコンサルティング部も利用者ではあるが，今回の開発目的から顧客にとって利用しやすいシステムであることが最重要要件と判断し，上記利用者を中心に想定した。

2．2．検討したUI

　今回のwebアプリケーションで検討したUIは，AIチャットボットである。さまざまな利用者が想定されるため，利用者の役職，業務やシステムに関する知識レベル，案件の内容などが多様になることを前提に検討した。それらをすべて選択させる形式をとると，項目数が増加し利用者にとって使いにくいものになってしまうリスクがあった。そこでAIチャットボットを利用するこ

とで，利用者の状況に応じた適切な対応を柔軟かつ効率的に行うことを狙った。

2. 3. 適切なUIを選択する際の課題と対応策

（1）UIを選択する際の課題

UIを選択する際の課題は，効率性と有効性の面での最適化である。具体的には，効率性としては，できるだけシステム上のやりとりでカバーし，電話や対面でのやりとりが発生しないようにすることをUIの要件とした。一方で有効性としては，顧客側がストレスを感じることなく利用できるUIが求められた。電話や対面を避けようとするあまり，顧客側が手間や不便さを感じてしまう，つまり，効率化したことによる負荷が単純に顧客側の手間（負荷）に転嫁されることになってしまうと，システム開発の目的が達成できなくなる。

（2）対応策

対応策としては，利用者の反応が正確には想定できないため，電話や直接の訪問希望を選択しやすい画面デザインを採用するところからスタートすることにした。利用者が手間や不要な混乱などのストレスを少しでも感じたら，すぐにこちらから電話での対応や営業の訪問をリクエストする処理に切り替えることができるかたちで提供する。それと同時に，利用者の入力した内容の分析およびAIチャットボットの回答内容や表現の修整を頻繁に行うことも合わせて行うことにした。

3. UIを継続的に適切化していくための工夫

（1）専任サポート体制の確立

サポート体制として運用担当者2名を配置し，利用状況のモニタリング，アンケートの実施，分析や他社アプ

リの調査や運用方法の改善を専任で担当させることにした。効率化という観点では2名を専属させることでその分効果が減少するが，UIを継続的に改良していくことは単に効率化（省力化）を実現するだけでなく，受注数増加に直結する上，UIのノウハウを蓄積していくことはSI事業者としても意味があると判断した。

なお，担当者2名は，3か月単位で交代させる工夫を行った。これは固定化によるモチベーション低下やマンネリ化を防ぐと同時に，多くのメンバーが実体験可能になることをねらったものである。

（2）社内ユーザーからのフィードバックの反映

利用者（顧客）側とのやりとり情報の収集・分析・改善に加え，社内の利用者からのフィードバックを定期的にしてもらい，UIの改善に結びつける仕組みを作った。改善としては，例えば，リリース当初は標準メニューに組み込んでいたZOOMによる対面での問い合わせ対応は，標準メニューの選択肢から削除した。これは，ZOOMによる対面の対応は，やりとりの初期段階で案件がはっきりしていない場合は効果が少ないといった声にもとづく改善である。標準メニューからは外したが，案件の内容がある程度絞り込まれ，特定できている場合は，リモートでの対面形式の対応は効率・効果的であるため利用可能な機能として残した。

以上

<著者紹介>
三好 隆宏（みよし・たかひろ）：
資格の学校TACの情報処理技術者講座講師および中小企業診断士講座講師をつとめる。
情報処理技術者講座では，演習問題の作成・添削に20年以上携わっている。
北海道大学工学部卒。日本IBM，プライスウォーターハウスクーパーズを経て，現職。
著書に，『プロジェクトマネージャ 午後Ⅰ 最速の記述対策』『プロジェクトマネージャ 午後Ⅱ 最速の論述対策』『うまくいかない人とうまくいかない職場 見方を変えれば仕事が180度変わる』『コーチみよしのへ〜ンシン！』（いずれもTAC出版）がある。

情報処理技術者高度試験速習シリーズ

システムアーキテクト 午後Ⅱ 最速の論述対策 第2版

2019年 8 月30日 初 版 第 1 刷発行
2024年10月23日 第 2 版 第 1 刷発行

著 者	三 好 隆 宏	
発 行 者	多 田 敏 男	
発 行 所	TAC株式会社 出版事業部	
	（TAC出版）	

〒101-8383
東京都千代田区神田三崎町3-2-18
電話 03（5276）9492（営業）
FAX 03（5276）9674
https://shuppan.tac-school.co.jp

印 刷	株式会社 ワ コ ー	
製 本	株式会社 常 川 製 本	

© Takahiro Miyoshi 2024 　 Printed in Japan

ISBN 978-4-300-11524-4
N.D.C. 007

本書は，「著作権法」によって，著作権等の権利が保護されている著作物です。本書の全部または一部につき，無断で転載，複写されると，著作権等の権利侵害となります。上記のような使い方をされる場合，および本書を使用して講義・セミナー等を実施する場合には，小社宛許諾を求めてください。

乱丁・落丁による交換，および正誤のお問合せ対応は，該当書籍の改訂版刊行月末日までといたします。なお，交換につきましては，書籍の在庫状況等により，お受けできない場合もございます。
また，各種本試験の実施の延期，中止を理由とした本書の返品はお受けいたしません。返金もいたしかねますので，あらかじめご了承くださいますようお願い申し上げます。

TAC出版 書籍のご案内

TAC出版では、資格の学校TAC各講座の定評ある執筆陣による資格試験の参考書をはじめ、資格取得者の開業法や仕事術、実務書、ビジネス書、一般書などを発行しています！

TAC出版の書籍

*一部書籍は、早稲田経営出版のブランドにて刊行しております。

資格・検定試験の受験対策書籍

- ◎ 日商簿記検定
- ◎ 建設業経理士
- ◎ 全経簿記上級
- ◎ 税理士
- ◎ 公認会計士
- ◎ 社会保険労務士
- ◎ 中小企業診断士
- ◎ 証券アナリスト
- ◎ ファイナンシャルプランナー(FP)
- ◎ 証券外務員
- ◎ 貸金業務取扱主任者
- ◎ 不動産鑑定士
- ◎ 宅地建物取引士
- ◎ 賃貸不動産経営管理士
- ◎ マンション管理士
- ◎ 管理業務主任者
- ◎ 司法書士
- ◎ 行政書士
- ◎ 司法試験
- ◎ 弁理士
- ◎ 公務員試験(大卒程度・高卒者)
- ◎ 情報処理試験
- ◎ 介護福祉士
- ◎ ケアマネジャー
- ◎ 電験三種　ほか

実務書・ビジネス書

- ◎ 会計実務、税法、税務、経理
- ◎ 総務、労務、人事
- ◎ ビジネススキル、マナー、就職、自己啓発
- ◎ 資格取得者の開業法、仕事術、営業術

一般書・エンタメ書

- ◎ ファッション
- ◎ エッセイ、レシピ
- ◎ スポーツ
- ◎ 旅行ガイド（おとな旅プレミアム/旅コン）

(2024年2月現在)

書籍のご購入は

1 全国の書店、大学生協、ネット書店で

2 TAC各校の書籍コーナーで

資格の学校TACの校舎は全国に展開!
校舎のご確認はホームページにて

資格の学校TAC ホームページ
https://www.tac-school.co.jp

3 TAC出版書籍販売サイトで

24時間ご注文受付中

https://bookstore.tac-school.co.jp/

- 新刊情報を いち早くチェック!
- たっぷり読める 立ち読み機能
- 学習お役立ちの 特設ページも充実!

TAC出版書籍販売サイト「サイバーブックストア」では、TAC出版および早稲田経営出版から刊行されている、すべての最新書籍をお取り扱いしています。
また、会員登録(無料)をしていただくことで、会員様限定キャンペーンのほか、送料無料サービス、メールマガジン配信サービス、マイページのご利用など、うれしい特典がたくさん受けられます。

サイバーブックストア会員は、特典がいっぱい!(一部抜粋)

通常、1万円(税込)未満のご注文につきましては、送料・手数料として500円(全国一律・税込)頂戴しておりますが、1冊から無料となります。

専用の「マイページ」は、「購入履歴・配送状況の確認」のほか、「ほしいものリスト」や「マイフォルダ」など、便利な機能が満載です。

メールマガジンでは、キャンペーンやおすすめ書籍、新刊情報のほか、「電子ブック版TACNEWS(ダイジェスト版)」をお届けします。

書籍の発売を、販売開始当日にメールにてお知らせします。これなら買い忘れの心配もありません。

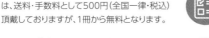

書籍の正誤に関するご確認とお問合せについて

書籍の記載内容に誤りではないかと思われる箇所がございましたら、以下の手順にてご確認とお問合せをしてくださいますよう、お願い申し上げます。

なお、正誤のお問合せ以外の**書籍内容に関する解説および受験指導などは、一切行っておりません。**
そのようなお問合せにつきましては、お答えいたしかねますので、あらかじめご了承ください。

1 「Cyber Book Store」にて正誤表を確認する

TAC出版書籍販売サイト「Cyber Book Store」の
トップページ内「正誤表」コーナーにて、正誤表をご確認ください。

CYBER TAC出版書籍販売サイト
BOOK STORE

URL:https://bookstore.tac-school.co.jp/

2 1の正誤表がない、あるいは正誤表に該当箇所の記載がない
⇒下記①、②のどちらかの方法で文書にて問合せをする

★ご注意ください★

お電話でのお問合せは、お受けいたしません。

①、②のどちらの方法でも、お問合せの際には、「お名前」とともに、
「対象の書籍名（○級・第○回対策も含む）およびその版数（第○版・○○年度版など）」
「お問合せ該当箇所の頁数と行数」
「誤りと思われる記載」
「正しいとお考えになる記載とその根拠」
を明記してください。

なお、回答までに1週間前後を要する場合もございます。あらかじめご了承ください。

---

① ウェブページ「Cyber Book Store」内の「お問合せフォーム」より問合せをする

【お問合せフォームアドレス】

https://bookstore.tac-school.co.jp/inquiry/

---

② メールにより問合せをする

【メール宛先 TAC出版】

syuppan-h@tac-school.co.jp

※**土日祝日はお問合せ対応をおこなっておりません。**
※**正誤のお問合せ対応は、該当書籍の改訂版刊行月末日までといたします。**

乱丁・落丁による交換は、該当書籍の改訂版刊行月末日までといたします。なお、書籍の在庫状況等により、お受けできない場合もございます。
また、各種本試験の実施の延期、中止を理由とした本書の返品はお受けいたしません。返金もいたしかねますので、あらかじめご了承くださいますようお願い申し上げます。

TACにおける個人情報の取り扱いについて
■お預かりした個人情報は、TAC(株)で管理させていただき、お問合せへの対応、当社の記録保管にのみ利用いたします。お客様の同意なしに業務委託先以外の第三者に開示、提供することはございません(法令等により開示を求められた場合を除く)。その他、個人情報保護管理者、お預かりした個人情報の開示等及びTAC(株)への個人情報の提供の任意性については、当社ホームページ
(https://www.tac-school.co.jp)をご覧いただくか、個人情報に関するお問い合わせ窓口(E-mail:privacy@tac-school.co.jp)までお問合せください。

(2022年7月現在)